KB012401

하야켄

일러스트 ● 아키타 히카

"저기, 내가 조종해도 돼?
괜찮지?!"

"스샷 찍을 준비는
되어있어!"

마에다가 눈을 반짝반짝 빛내며
우리를 바라봤다.
아키라도 눈을 반짝반짝 빛내며
카메라를 들고 있었다.

VRMMO 학원에서 즐거운 마개조 가이드 4

~최약 직업으로 최강 대미지를 뽑아봤다~

안에서 나타난 것은──
『스카이 폴』과 『미믹 팬』을 이도류로 든
아일랜드 버니였다.

핑크색으로 칠한 풀 페이스 헬멧.
크림슨 레드의 작은 스카프 머플러.

아카바네 오빠의 영향을 받은
NPC 미소녀를 보며, 생각했다.

"......어째서
이렇게 된 거야?!"

즐거운 VRMMO 학원에서 마개조 가이드

~최약 직업으로 최강 대미지를 뽑아 봤다~

4

하야켄 지음
아키타 히카 일러스트
이경인 옮김

A Guide to Happy Devil Mods
at VRMMO High School

CONTENTS

영웅 후보 습격 이벤트가 있은 지 일주일 이상이 지났다.

학교에서는 습격 이벤트 뒤에 바로 정기 시험에 돌입했다.

학년 1위에게 주는 경품인 마이 비공정과, 가능한 한 더 많은 MEP를 얻는 것을 목표로 삼아 우리도 진지하게 노력한 결과가— 오늘 이 시간 드러난다!

우리는 아침 로그인을 하고 학원으로 이동해서 복도에 붙은 시험 결과를 바로 체크하러 갔다.

이 게임 세계에서는 결과를 일부러 종이에 적어서 복도에 붙일 의미는 없지만, 이것도 분위기라는 거겠지.

참고로 나중에 게임 시스템 정보 화면에서 시험 결과를 확인할 수 있다고 한다.

이번 시험은 여덟 과목이 있었으니, 800점 만점.

학년 말이거나 학년이 올라가면 강화도 늘어난다.

그리고 그건 기쁜 일이다. MEP를 많이 받을 수 있으니까.

쪽지시험 같은 걸 하게 되면 그야말로 환희다.

그건 즉 MEP를 받을 수 있는 레어 이벤트이니까.

자, 결과는—.

1위 마에다 코토미 784점

......

11위 아카바네 노조미 744점

......

28위 아오야기 아키라 704점

......

168위 타카시로 렌 567점
169위 카타오카 신이치 566점

......

377위 야노 유우나 271점

""""오오오오오오~!""""
결과를 본 나와 아키라와 야노가 외쳤다.
나이스다! 역시 대단하다고 할 수밖에 없어!

"나이스 코토미!"

"고마워……! 역시 두뇌 담당은 있어야해!"

"난 무리였으니까, 살았어~!"

아키라는 감기에 걸려서 몸 상태가 좋지 않았으니까.

어찌 됐든, 길드에는 무척 큰 도움이 되었다! 마이 비공정을 얻을 수 있어!

"응— 해냈어!"

마에다도 만족스럽게 고개를 끄덕였다.

웬일로 흥분했는지 살짝 승리의 포즈까지 나왔다.

"뀨우~! 갱장해~! 갱장해~!"

류도 기뻐하며 마에다 주변을 빙글빙글 돌았다.

"좋았어, 헹가래하자구! 헹가래!"

"뭐?! 괘, 괜찮아. 부끄러우니까—"

"아니! 우승했으니까 헹가래는 기본이야!"

"아마 야구계 기준을 말하는 거지……? 뭐 상관없지만."

그런고로 우리 셋이서 마에다를 헹가래했다!

나도 몰래 목표로 삼았던 500점을 돌파했으니까 더할 나위 없다.

""만세~! 만세~! 만세~!""

그리고, 방과 후—.

우리는 코코루를 데리고 마이 비공정을 받으러 찾아갔다.

부유도시 티르나의 항구에는 비공정용 부두가 있다.

그곳에 마에다에게 증정될 마이 비공정이 정박해 있다고 한다.

나카다 선생님의 호출을 받아 티르나항 제3부두를 걷자, 코코루가 감탄한 듯이 한숨을 내쉬었다.

"오호~ 비공정이 잔뜩 정박해 있다 꼬꼬~. 난 이렇게 많은 비공정을 보는 건 처음이다 꼬꼬~."

"아, 비공정은 티르나 말고는 만들 수 없었던가."

그렇다. 비공정 제조 기술은 부유도시 티르나만이 가진 유일한 것이라고 한다.

그런 세계관 설정이다.

그래서 코코루 같은 다른 나라 출신자는 꽤 신기해하고, 동경하고 있다.

"맞다 꼬꼬. 그걸 학교 시험의 포상으로 주다니, 배포가 두둑하다 꼬꼬~."

그런 이야기를 나누며 부두를 나아가자—.

"어~이! 마에다~! 기다렸어~!"

나카다 선생님이 손을 붕붕 흔들며 우리를 불렀다.

선생님 바로 근처에는 비공청 한 척이 정박해 있었다.

"선생님!"

"야호~! 길드 멤버가 모두 모였네! 그래그래, 사이좋은 건 좋은 일이야!"

변함없이 분위기가 가벼운 선생님이다.

선생님은 우리와 함께 있는 코코루를 보더니―.

"너희들~ 변함없이 길드 대항 미션에서도 저지르고 있는 모양이더라. 들었어~ 맨 먼저 최악 캐릭터를 골랐다면서? 확실히 강해 보이지는 않네― 닭이고……."

"꼬꼬~! 됐다 꼬꼬! 약자에게는 약자의 싸움법이 있는 거다 꼬꼬!"

오, 이렇게 말한다는 건 대담해졌다는 증거다.

좋아 좋아.

"괜찮아요! 시합에서는 재미있는 걸 보여드릴 테니까!"

"응응! 코토미의 활약 덕분에 육성 계획도 순조로울 것 같구!"

"흐음흐음. 과연, 데몬즈 크래프트는 자신만만이라. 아, 미션 최종일의 배틀로얄 대회는 내가 중계할 거야. 공식 이벤트니까 취재 같은 것도 열심히 해야 하거든~."

"응?! 최종일 대회는 배틀로얄인가요?!"

마지막에 대회가 있다고 듣기는 했지만, 형식은 미발표였다.

그렇군. 배틀로얄인가―!

"앗! 아하하하……! 나, 나는 너희를 위해 일부러 살~짝 정보 누설을 해줬을 뿐이거든?! 실수한 거 아니야! 일부러 라고!"

"......"

뭐, 아무래도 좋지—.

최종적으로 배틀로얄로 결판을 낸다는 건 좋은 정보다.

그걸 감안하고 대책을 세우도록 하자.

"자, 여기! 기다리던 비공정이야! 타봐 타봐!"

얼버무리려는 선생님에게 등을 떠밀린 우리는 비공정에 올라탔다.

"오~ 이게 마이 비공정인가!"

"와아~! 좋네 좋네!"

"모처럼 생겼으니까, 나중에 우리 길드답게 페인팅도 하고 싶네."

"오케이. 그럼 나한테 맡겨두라구!"

우리가 평소 먼 구역으로 이동할 때 사용하는 비공정 정기편에 비하면 선체는 꽤 작다.

디자인도 그쪽은 둥그스름한 것에 비해, 이쪽은 샤프하고 빨라 보인다.

"LHS 13형— 최신 소형 비공정 모델이야. 적재 용량은 적지만 그만큼 속도가 잘 나오게 되어있지. 대포 같은 옵션은 달려 있지 않아도 니트로는 이 모델의 표준 장비니까, 뭐 마음껏 사용해줘~."

니트로라니 그건가, 차에서 니트로 버튼을 누르면 폭발적으로 가속하던데.

서양 영화에서 자주 본다.

"조타실은 저쪽이네."

갑판 후방을 가리켰다.

비공정 뒷부분은 계단이 있어서 조금 높이 올라가 있고, 그곳에 작은 방 같은 조타실이 있었다. 조타실 밑에는 선내로 가는 입구가 있다.

평범한 배에 가까운 구조겠지.

우리는 바로 조타실에 발을 들였다.

안에는 목제 받침대 위에 달린 타륜이 떡하니 놓여있었다.

전방은 자동차 앞 유리처럼 되어있고, 시야가 탁 트였다.

내부에는 딱히 장식 같은 건 없지만, 흔들릴 때 잡기 위해서인지 난간이 붙어있었다.

"조종의 기본을 설명할게. 보는 대로 이 스티어링 휠로 조종해. 오른쪽으로 돌리면 우선회, 왼쪽으로 돌리면 좌선회야. 뭐, 그냥 그대로지."

"위로 가거나 아래로 가려면 어떻게 하죠?"

"휠 자체를 밀거나 당기면 돼. 당기면 부상, 밀면 하강이야."

내 질문에 선생님이 대답해줬다.

그때 마에다도 나섰다. 어지간히 기쁜지, 눈이 반짝반짝 빛났다.

"선생님, 선생님! 가속과 감속은 이 아래쪽 페달인가요?!"

"오, 잘 봤네! 맞아, 오른쪽이 액셀이고 왼쪽이 브레이크야. 마에다, 이런 거 좋아해?"

"네! 직접 얻은 비공정이니까 애착도 있고, 레이싱 게임 같은 건 집에서 자주 해서요……!"

과연, 마에다는 온라인 게임 경험은 별로 없지만 가정용 게임은 하고 있다고 했었다. 레이싱 게임을 좋아했구나.

"저기, 그러면 니트로는 어떻게 쓰는 건가요?!"

"저 휠에 잡을 수 있는 튀어나온 부분들이 있지?"

타륜은 중세 배 같은 데서 자주 나오는, 고리 바깥에 손잡이 같은 것들이 붙어있는 구조였다.

나카다 선생님은 그 손잡이 중 하나를 가리켰다.

"하나만 손잡이가 빨간 게 있잖아? 저건 당길 수 있게 되어있어. 당기면 니트로 발동이야."

"과연, 그렇군요. 알겠어요! 그리고 그리고, 직업이 공적이라면 비공정 조종에 보너스가 붙기도 한가요?!"

"맞아. 레벨을 더 올리면 그런 특성을 익힐 수 있을 거야. 니트로 성능이 올라가거나, 포격이나 백병전 성능이 올라가기도 해. 탤런트로도 익힐 수 있긴 하지만."

"과연, 공적 고유의 것은 없는 거네요? 탤런트만 얻으면 똑같이 할 수 있다는 거죠?"

"뭐, 뭐어 그렇다고 할 수 있지……."

나카다 선생님도 마에다의 질문 공세에 조금 기겁한 것 같다.

마에다가 시험에서 의욕이 충만했던 건, 길드 대항 미션을 위해서도 있겠지만 직접 마이 비공정을 조종하고 싶다는 부분도 컸나 보다.

"별일이다 꼬꼬~. 코토미가 저렇게 텐션이 높은 건 처음 봤다 꼬꼬."

"코토미는 반장 타입이니까~. 그래도 가끔은 괜찮잖아?"

"맞다 꼬꼬~. 렌은 언제나 저런 느낌이니까 그냥 익숙해졌다 꼬꼬."

"그런가? 나는 언제나 냉정하게 상황을 분석해서, 못난 녀석을 어떻게든 해주기 위해 검증하는 건데데."

"그걸 희희낙락 하이텐션으로 하고 있잖아? 언제나 보고 있거든. 그냥 하고 싶은 대로 하는 거잖아~. 어울려주기는 해도."

"감사함다~!"

"그러니까, 오늘은 코토미에게 어울려주자."

"그래, 『하늘의 균열』도 찾으러 가야 하니까!"

『하늘의 균열』은 내용물이 랜덤인 인스턴스 던전의 입구다.

어떤 것인지는 보지 않으면 모르지만, 인스턴스 던전이라는 건 돌입한 파티마다 일시적으로 구역을 생성하는 구조다.

즉, 안으로 들어가 버리면 남에게 방해받을 일이 없다.

길드 대항 미션에서 각지의 사냥터가 뭉개져가는 가운데, 대형 길드가 가진 전용 프라이빗 던전도 없는 우리는 인스턴스 던전에 침입해 그곳에서 코코루의 레벨을 올릴 수밖에 없다.

『하늘의 균열』을 찾는 이동수단으로 마이 비공정이 필요했던 거다.

"그럼 설명은 끝이야~. 나머지는 매뉴얼을 보도록. 알겠니? 배우기보다는 익숙해져라! 야!"

선생님이 마에다에게 두꺼운 책 아이템을 건넸다.

교사가 그런 말을 하는 건 직무유기인 것 같기도 하지만, 우리도 빨리 출발하고 싶으니까 딱히 상관없었다.

"네, 선생님! 감사합니다!"

"그럼 이만~. 선생님은 돌아갈게~. 마음껏 즐겨~."

선생님의 모습이 스윽 사라졌다.

"저기, 내가 조종해도 돼?! 괜찮지?!"

마에다가 눈을 반짝이면서 우리를 바라봤다.

"그래, 물론이지.『하늘의 균열』이 어떤 건지 찾으러 가보자!"

"찬성! 가자가자! 가본 적 없는 구역이잖아! 스샷 찍을 준비는 되어있어!"

아키라도 카메라를 들고 눈을 반짝반짝 빛내고 있었다

"고~고~! 가보자 코토미~!"

"응— 그럼 출발!"

그렇게 말한 마에다가 느닷없이 타륜의 빨간 손잡이를 당겼다.

"잠깐……! 그거 니트로—"

말하기가 무섭게—

쿠오오오오오옹————!

비공정은 느닷없이 엄청난 속도로 부두에서 폭주하기 시작했다.

""""꺄아아아아악~~~?!""""

"꼬끼오~~~~~?!"

"뀨뀨뀨~~~?!"

급가속을 못 이긴 우리는 벽에 처박혀서 비명을 질렀다.

선체가 무언가에 쾅쾅 부딪히며 마구 흔들렸다.

"아하하하하하! 꽤 빠르네! 기분 좋아!"

큰일 났다! 핸들 같은 걸 잡게 하면 안 되는 사람일지도 몰라!

아무튼, 느닷없이 니트로는 그만둬, 니트로는!

"와아아아아악~~~?!"

부두 근처에서 느닷없이 니트로로 폭주했기 때문에, 놀라서 도망치는 다른 플레이어나 NPC의 비명이 밖에서 들려왔다.

조타실 안에 있는 우리는 이미 엉망진창이 되었다.

아, 뭔가 부드러운 게 얼굴에—

"꺄앗?! 싫어, 그만둬! 나는 그런 담당이 아니라구!"

내 얼굴이 야노의 가슴에 묻혀버렸다.

"맞아, 렌! 거기서는 나로 해두지 않으면 화낼 거야!"

"뭐가⋯⋯! 그보다 불가항력 불가항력⋯⋯!"

"꼬꼬~~?! 물어서 붙잡지 마라 꼬꼬~~~!"

"치킨, 아움아움~~!"

소란을 부리는 사이, 문득 속도의 압력이 풀렸다.

아, 니트로 효과가 끝난 건가⋯⋯? 나 원 참—.

"어머? 벌써 끝? 좀 더 좀 더."

마에다는 니트로 발동 레버를 팍팍 당겼다가 되돌렸다.

"아니, 마에다. 그런 짓을 하면 망가지잖아! 스킬 같은 거니까 분명 재사용 대기시간이 있을 거라고."

"그렇구나⋯⋯ 유감이네. 얼마나 지나야 다시 쓸 수 있을까?"

마에다는 장난감을 빼앗긴 어린애 같은 표정으로 말했다.

손가락까지 깨물 것 같다.

"글쎄?"

"그럼 내가 검증해볼게!"

그리고는 기뻐하며 시스템 윈도우를 열어서 현재 시간을 확인하며—.

"1!"

철컹! 하고 다시 타륜의 손잡이 레버를 당겼다.

"2!"

철컹!

"3!"

철컹!

"……"

1초마다 발동 레버를 당겨서 재사용 대기시간을 확인할 셈인가.

"……즐거워 보이니까, 한동안은 내버려 둘까."

"그러게. 밖으로 나가자! 스샷 찍고 싶으니까!"

아키라가 조타실에서 갑판으로 나갔다.

"나두~.『하늘의 균열』이라는 걸 찾는 거지? 어떤 거야?"

"나도 간다 꼬꼬. 레벨을 올려야 하니까 꼬꼬! 레벨이야말로 힘이다 꼬꼬!"

뭐, 코코루의 말은 틀리지 않았다.

코코루에게 스테이터스는 의미가 없다.

원래부터 성장률이 낮은 데다, 경험치 3배인 대신 성장률이 1/3이 되는 프린세스 스컬 링을 장비했으니까.

그 상태에서 레벨 업하면, 코코루의 성장 기대치는 이렇다.

【성장률 (근/내/재/민/지/정/매)】
0 / 1 / 0 / 0 / 0 / 0 / 0

레벨이 올라가도 VIT와 최대 HP가 조금 늘어날 뿐이다.

본인의 전력은 레벨 1 때와 거의 다르지 않다.

게다가 배틀 중에는 모든 능력치가 다운되는 『벼룩의 심장』을 가졌다.

이것 때문에 코코루는 상대에게 제대로 공격을 맞출 수조차 없다.

그러니 직접 싸우는 건 포기할 수밖에 없다.

그러나 활로는 있다.

악덕 상인의 필살기, 코코루가 익힌 새로운 스킬 『골든 옐로 스위츠』다.

이건 자신의 레벨 이하의 몬스터를 돈을 써서 동료로 삼을 수 있다.

또다시 돈을 뿌려대는 머니 파워 승부지만, 어쨌든 레벨만 올리면 승부를 벌일 수 있다.

어차피 성장률은 최하급 클래스니까 모조리 버리고, 높은 레벨로만 일점 돌파해서 악덕 상인의 필살기에 건다.

한없이 특화된 일점 돌파만이 약자의 싸움이다. 종합력으로는 지더라도, 한 점에서 이기면 된다!

그 한 점이란 즉, 높은 레벨이다.

다시 말해, 코코루의 말처럼 레벨이야말로 힘인 것이다.

"좋아, 그럼 나도— 류, 가자!"

"뀨뀨~!"

모처럼 코코루도 의욕이 생겼으니까, 나도 확실히 협력해줘야겠지.

코코루를 지명해서 육성 방침을 가르친 것도 나니까.

"와아! 다른 비공정도 꽤 많네~! 굉장해~!"

한발 먼저 갑판으로 나간 아키라가 스샷을 마구 찍었다.

"저거, 혹시 『하늘의 균열』을 찾으러 나온 라이벌 아냐?"

"아~ 그렇구나. 그럴지도! 다른 사냥터는 방해 공작으로 뭉개졌으니까."

"과연. 프라이빗 던전은 없어도 비공정이라면 마련할 수 있는 쪽은 『하늘의 균열』에 몰려든다는 건가. 안으로 들어가면 전용 구역이니까. 아마 입구 쟁탈전을 벌이겠지."

좀처럼 생각대로 흘러가지는 않는다.

"아무튼, 『하늘의 균열』 자체는 어떤 느낌인지 확인하고 싶네."

"그러게. 어디야?"

"좋아. 내 카메라 줌으로 찾아볼게~!"

우리는 각자 다른 방향을 찾아보기로 했다.

그러나, 그럴싸한 것은 딱히 보이지 않았다.

"저쪽 비공정이 모여있는 곳 근처로 다가가는 게 좋을지도."

나는 배 오른편을 바라보며 말했다.

마에다에게 말해서 접근해달라고 할까…….

"그래도 렌, 저 비공정 다들 이쪽으로 오는 것 같은데? 줌으로 보니까 그래."

"으음, 하지만 아무것도 없잖아?"

"아! 다들, 밑이다 꼬꼬! 밑을 봐라 꼬꼬!"

갑판에서 몸을 내민 코코루가 밑을 가리켰다.

과연, 맹점이었다. 바로 아래는 보지 않았었다.

우리는 갑판에서 몸을 내밀어 밑을 봤다.

하늘과 바다의 푸른색과 구름의 흰색.

그 선명한 색상 가운데, 새까만 소용돌이 같은 게 보였다.

"오호라~! 저건가! 마치 블랙홀 같네ㅡ."

"와아, 저것도 뭔가 절경이네! 스샷 스샷!"

"바로 들어가 보자구!"

그러나 바로 아래라니 비공정에는 조금 성가실지도 모른다.

바로 하강할 수 있을까? 선회하면서 조금씩 고도를 내리는 식인가?

뭐, 됐어. 일단 마에다에게 말하자.

"좋아, 마에다에게ㅡ."

우리는 조타실을 봤다. 안에 있는 마에다는 변함없이 반짝반짝 빛나는 눈으로 니트로 레버를 쭉쭉 당기고 있었다.

뭐, 우리가 잘못한 거겠지.

쿠오오오오오ㅡㅡㅡ!

다음 순간, 폭음이 터지면서 선체가 덜커덩 흔들렸다.

니트로의 재사용 대기시간이 끝난 것이다.

방심하던 우리는 급가속을 견디지 못하고 배에서 튕겨나고 말았다.

"""우와아아아아아악~~?!"""

완전히 스카이다이빙이다.

게임 속에서도 이런 식으로 느끼게 될 줄이야. 아니 무서워! 게임이라도!

"우와아아~~! 이것도 어느 의미 절경이네!"

목소리가 나서 돌아보자 확실히 절경이었다.

아키라 쪽이 나보다 위에 있으니까, 스커트 안이 보이거든!

그러나 그건 넘어가고, 아키라는 왠지 즐거워 보이는데! 용케 태연하네!

"히이이이익——! 죽어, 죽어, 죽는다구우우우~~!"

울상인 야노의 반응이 평범해 보인다!

"꼬꼬~! 난 못 난다 꼬꼬~~~!"

비명을 지르는 코코루는 류에게 달라붙었고, 류도 그 무게를 못 이기고 떨어지고 있었다.

그리고 원만하게 낙하하는 우리 밑에는, 입을 벌리고 있는 『하늘의 균열』이 기다리고 있었다.

그 검은 입으로 접근하자, 우리는 쏘옥 빨려 들어가서 눈앞이 새까매졌다.

◆◇◆

그리고 잠시 지나자―.

어두워진 시야가 확 트이며 동굴 벽 같은 것이 내 눈에 들어왔다.

"워프했다?! 여기가 『하늘의 균열』 안인가―."

내부는 내용이 랜덤인 인스턴스 던전이라고 했었다.

즉, 다른 곳의 방해를 받지 않고 여기 있는 몬스터를 사냥할 수 있다는 뜻이다.

"오. 안에는 평범한 동굴 같은 느낌이네."

"아~ 쫄았잖아. 죽는 줄 알았다구."

"정말이다 꼬꼬. 여기에 들어오지 않았다면 어떻게 됐을지 모른다 꼬꼬……."

"뀨~뀨~."

아, 아키라와 야노에 코코루나 류도 같이 들어온 것 같다.

게다가, 그것만이 아니었다.

"어라? 여기는 어디?"

어리둥절한 표정의 마에다도 우리 근처에 나타났다.

우리가 들어오고 나서 마에다도 강제 전이된 건가?

"오. 마에다! 왠지 바로 아래에 『하늘의 균열』 입구가 있었던 모양이야."

"다행이다. 코토미도 왔구나."

"코토미~ 우리를 떨어뜨리면서 니트로라니 너무하잖아! 쫄았다구!"

"미안해— 하지만 알아냈어…….'

"응? 뭐가? 코토미?"

"240초야!"

"응……?! 그게 뭔데?"

"아, 니트로의 재사용 대기시간 말이구나…….'

"응. 효과 시간도 확실히 파악해야지! 횟수가 늘어나거나, 재사용 대기시간을 짧게 만드는 탤런트나 아이템이 있을까? 어쩌면, 이것저것 해보면 항상 니트로로 이동할 수 있지 않을까? 이건 검증할 가치가 있겠지? 그치?"

"아하하하. 왠지 렌이 옳은 것 같은데—"

"코토미가 위험한 녀석이 돼버렸어!"

뭐, 나로서는 즐거워 보여서 다행이라고 생각하고 싶다.

즐거움은 사람에 따라 다르니까. 좋아 좋아.

니트로를 너무 좋아하는 건 좀 자중해줬으면 좋겠지만.

"일단 이 안을 탐색해서 사냥할 만한 적을 사냥하고, 코코루의 레벨을 올리자."

우리는 서로 수긍하고는 동굴 같은 던전을 나아가기로 했다.

스타트 지점은 커브를 이루고 있는 통로다. 앞으로도 뒤로도 갈 수 있다.

일단 앞으로 가보기로 했다.

"자, 그럼 어떤 적이─."

"내용은 랜덤이라며? 구조도, 배치된 몬스터도."

"보물도 있을까? 짭짤한 게 있으면 좋겠는데!"

"출구는 보이지 않는데, 어딘가에 있는 걸까……?"

"그렇겠지. 그러지 않으면 돌아갈 방법이 없으니까."

대화를 나누며 나아갔다. 잠시 뒤─.

"몬스터가 별로 없네."

"몬스터가 없는 꽝 같은 것도 있으니까?"

"아! 뭔가 보여!"

"음…… 이봐, 저건─."

"우와. 아일랜드 버니?! 꽝이잖아~!"

"그래도 왠지 금빛인데?"

"멀어서 이름은 안 보이지만, 평범한 아일랜드 버니는 아니지 않을까?"

"저, 저건 혹시……!"

언리미티드 월드 가이드북에도 실려있었어!

전신이 금빛으로 반짝거리는 몸을 가진, 골든 버니라는 몬스터다.

이 게임의 몬스터에게서 얻을 수 있는 경험치는 레벨차로 판정되는 일반적인 경험치와, 왕관 달린 레어계 몬스터가 가진 고정 경험치로 나뉜다.

골든 버니는 레어계 몬스터지만, 그 힘에 비해 막대한 고정 경험치를 가진 보너스 몬스터로 유명하다. 가이드북에도 실려있다.

경험치를 번다는 것만으로 따지면 이 녀석이 넘버 원 몬스터다.

그야말로 이 게임의 외톨이 메ㅇ#1 같은 무언가다.

"골든 버니야……!"

"오오오오! 해냈어 렌! 운 좋네!"

"역시 아키라와 함께라면 행운이 자주 일어나네."

천성적인 럭키 걸이니까.

온갖 게임을 해왔던 인생 경험상, 나 혼자서는 이런 일이 일어나지 않는단 말이지.

그러나 아키라와 함께 있으면 일어난다.

현실에서 가진 자는 게임에서도 가지게 되더란 말이야.

"어쩔래? 바로 돌진해서 쫓아가? 저거 도망치지 않아?"

"도망치는 속도가 엄청 빠르다고 가이드북에도 적혀있었으니까."

야노와 마에다의 말대로, 진짜 외톨이 메ㅇ처럼 잽싸게 도망친다고 한다.

#1 외톨이 메ㅇ 드래곤 퀘스트 시리즈에 등장하는 슬라임 몬스터 『외톨이 메탈』. 쓰러뜨리면 막대한 경험치를 얻을 수 있다.

게다가 속도도 엄청 빠르고, 공격 대미지도 거의 들어가지 않는다고 적혀있었다.

방어력 무시에 회피 불가인 『데드 엔드』라면 일격에 죽일 수 있을까?

일단 가이드북에서는 도망칠 수 없는 지형에 몰아넣어서 쓰러뜨리라고 적혀있었다.

"잠깐 기다려봐…… 여기는 출구가 어딘가에 있겠지? 그곳을 막는다면, 저 녀석을 가둘 수 있다는 뜻이 되는데—."

녀석에게 들키기 전에 어서 출구를 확보하고 싶네.

그리고 차분하게 몰아넣자.

"좋아. 일단 반대로 가보자. 출구를 찾아서 막아두면, 저 녀석도 도망칠 수 없으니까."

"그렇구나. 그럼 가볼까!"

우리는 반전해서 뒤로 돌아갔고, 이윽고 출구를 찾았다.

동굴 벽 한곳에 액자 같은 프레임이 붙어있고, 그 안쪽에서 물결치는 검은 공간이 보였다. 프레임 안에 블랙홀이 있는 느낌이다.

"오! 아마 저게 출구겠네. —좋아. 그럼 여기에 한 명이 남아서 출구를 막자."

"내가 서 있을까 꼬꼬? 어차피 공격은 못한다 꼬꼬."

그럴까. 『골든 옐로 스위츠』는 아직 시험할 수 없으니까.

그렇다면 코코루의 전력은 제로다. 여기서 고기 방패라도 되는 게 낫겠지.

"그럼 부탁한다. 코코루."

"오케이 꼬꼬!"

우리는 다시 골든 버니에게 가보기로 했다.

"좋아. 아직 있어—."

조금 전 골든 버니가 있던 포인트로 돌아가자, 녀석은 아직 같은 곳에 있었다.

"근데, 어떻게 공격해? 떨어져서 한 발 쏴?"

야노가 총을 어루만졌다.

"으~음. 그것도 나쁘진 않지만, 일격으로 쓰러뜨리지 않으면 안쪽으로 도망칠 테니까."

현장은 넓은 폭을 가진 동굴 같다.

지형적으로는 맞은편 오른쪽으로 완만한 커브가 이어지고 있다.

"모습을 감추고 저 녀석 맞은편으로 돌아갈 수 없을까? 그리고, 협공하는 거야."

"그럼 내가 저쪽으로 돌아 들어갈까?"

아키라의 직업인 소드 댄서는 『배니시 플립』이 있으니까.

아츠 포인트
AP를 소비해서 모습을 감추는 은밀 행동용 댄스다.

주로 시각 감지를 하는 적 몬스터에게 들키지 않도록 이동할 때 쓰지만, 대인전에서 모습을 감추고 상대를 암습하는 데도 쓸 수 있다.

아키라는 탤런트로 『투신의 숨결』이 있어서 AP가 시간에 따라 자연 증가하니까, 이미 AP는 완전히 차 있을 거다.

"좋아. 그럼 부탁해. 저 녀석은 시각 감지 및 청각 감지를 하는 것 같으니까, 조용하게."

"응. 알았어."

"저쪽으로 돌아가면 아키라가 공격을 걸 거야. 그리고 우리는 커브 모퉁이에 있는 잘 안 보이는 곳에서—."

"협공하는 거지? 타카시로."

"응응. 만나자마자 『데드 엔드』를 박아주겠어!"

"그럼 갔다 올게. 뒷일은 잘 부탁해!"

아키라는 『배니시 플립』을 발동해서 모습을 감췄다.

"좋아. 공격 준비를 하자."

나는 적당한 서클 마법을 발동해서 MP를 비웠다.

이제 언제든지 『데드 엔드』를 쏠 수 있다.

야노는 총을 들고 멀리 있는 골든 버니를 겨냥했고, 마에다도 공격마법 영창을 시작했다.

잠시 지나자—.

보에에에에에에에?!

골든 버니는 버니답지 않은 약간 두껍고 얼빠진 비명을 지르더니 놀라서 펄쩍 뛰었고—.

맹렬하게 달려서 이쪽으로 도망쳤다.

""""빨라?!""""

매복반인 우리 세 사람은 무심코 하나 되어 외쳤다.

터무니없이 빠르다!

야노가 총격을 날렸지만 전혀 맞지 않았고, 마에다의 공격마법은 영창하는 사이에 녀석이 통과해버렸다.

나도 가까스로 반응해서 오의를 쐈지만—.

"오의! 데드 엔—."

보에에에에에에에!

비명을 지르며 도망치는 골든 버니 앞에서, 나의 오의는 허공을 갈랐다.

모습을 보고 오의를 발동해서 휘두르는 사이에 도망치고 말았다.

"드…… 아니 너무 빠르잖아?!"

스피드가 심상치 않다.

이 녀석, 그야말로 외톨이 메○이잖아!

『데드 엔드』만 맞는다면 쓰러뜨릴 수 있을지도 모르지만, 이건 모션을 맞추는 것조차 힘들겠어.

"쫓아가자구!"

야노가 『스프린트』를 발동해서 고속 대시로 쫓아갔다.

하지만 그래도 골든 버니가 발이 빠르다.

어이이봐, 저거 쓰러뜨릴 수 있나?!

"우리도 쫓아가자!"

아키라가 달려왔다.

"그래!"

"굉장한 스피드네……!"

셋이서 골든 버니와 야노의 모습을 쫓아갔다.

멀리서 뭔가 목소리가 들려왔다.

"꼬꼬?! 왜 나만 공격하는 거냐 꼬꼬~?!"

보에에! 보에에!

"아, 이 녀석! 그만두라구!"

보에에에에에에에에!

"아, 또 도망쳤다—! 키이이이잇!"

"아프다 꼬꼬…… 죽는다 꼬꼬…….."

"잠깐 기다려. 지금 회복해줄게."

우리는 너덜너덜해진 코코루에게 회복마법을 걸어주는 야

노를 따라잡았다.

야노는 얼마 전 입수한 『너스 링』 덕분에 회복마법을 쓸 수 있게 되었다.

공적은 원래 마법을 쓸 수 있는 직업이 아니라서 MP는 낮지만.

"코코루가 당했어?"

"괜찮아?"

"유우나, 어떻게 된 거야?"

"아니, 왠지 그 금빛 버니, 코코루한테는 힘껏 앞발차기를 날리더라구! 그리고 이쪽이 공격하니까 도망쳤어!"

"훌쩍훌쩍훌쩍…… 왜 나만―."

"코코루가 출구를 막고 있어서……? 아니, 하지만 그럼 다른 방향으로 도망쳐도―."

"약자를 괴롭힌 걸까―. 그런 건 좋지 않아!"

아키라가 불만스럽게 뺨을 부풀렸다.

"약자라지만, 코코루도 레벨 30은 되는데 말이지."

적 몬스터의 거동이니까, 단지 마음에 안 든다거나 하는 이유가 아니라 뭔가 프로그램이 판정을 내렸을 거다.

원인을 알아낼 수 있다면, 녀석의 움직임을 밝혀낼 수 있을 거다.

그러면 쓰러뜨리는 방법으로도 이어질지도 모른다.

"일단 코코루와 마에다가 교대할까? 출구를 막고 있으면 공격받는지, 코코루니까 공격받은 건지 검증해보자."

"꼬꼬. 알았다 꼬꼬."

"알았어."

우리는 출구에 마에다를 남겨둔 채, 코코루를 데리고 골든 버니를 쫓아갔다.

잠시 지나자, 다시 녀석이 금빛으로 반짝이는 몸으로 멍하니 있었다.

"좋아. 내가 다가가 보겠어."

나는 성큼성큼 녀석에게 다가갔다.

보에에에에에에에!

어느 정도까지 다가가자, 나를 눈치챈 녀석이 비명을 지르며 도망쳤다.

뭐, 보이면 도망치겠지—.

"좋아. 다음으로 코코루가 가봐."

다시 나아가서 녀석을 발견한 뒤, 이번에는 코코루를 보냈다.

"알았다 꼬꼬."

코코루가 뚜벅뚜벅 걸어갔다.

그리고 녀석의 인식 범위에 들어가자—.

보에에! 보에에!

아, 저쪽에서 접근해서 앞발차기를 날렸다!

"꼬꼬~?! 그만둬라 꼬꼬?!"

"아앗! 코코루한테만!"

"막자!"

"맡겨둬!"

야노가 골든 버니에게 총격!

유우나의 공격. 골든 버니에게 1의 대미지!

오, 공격이 맞았다.

하지만 대미지 1이네. 완전히 은빛의 홀로 떨어진 분 느낌이 나는데—.

HP는 낮을 테니까 몇 발만 맞는다면—!

보에에에에에에?!

한 발 맞은 골든 버니는 당연한 듯이 도망쳤다.

"역시 코코루만 노리는 건가…… 그건가?『벼룩의 심장』을 가져서?"

"렌. 어째서라고 생각해?"

"그거야.『벼룩의 심장』을 가지면 적에게 공격이 맞지 않잖아? 즉, 절대 대미지를 입지 않는 상대니까 공격한다는 사고방식이 아닐까 싶은데."

"그렇구나…… 그래도 왠지 기분 나빠."

"워워. 그래도 이건 이용할 수 있을 것 같지 않아? 함정에 빠뜨리자."

"코코루로 끌어들인 뒤에 총격이야?"

"플러스, 아키라는 모습을 감추고 코코루에게 달라붙어서, 야노와 동시 공격."

"그렇구나! 그러면 두 배는 빨리 쓰러뜨리겠네!"

"좋아, 그걸로 가자! 나이스야, 코코루. 네 덕분에 저걸 잡을 수 있겠어."

"솔직하게 기뻐할 수 없다 꼬꼬."

"괜찮아. 탱커 직업이라고 생각하면 돼. 즉, 코코루 탱커네! 덕분에 레벨업도 순조롭겠어."

"알았다 꼬꼬. 그럼 가자 꼬꼬."

우리는 필살의 작전을 세우고 다시 녀석에게 향했다.

"아, 있다! 발견하기 쉬워서 다행이네. 갈림길 같은 것도 없고."

"으응? 저기 더 안쪽에 코토미도 보이지 않아?"

"아, 정말이다 꼬꼬!"

"과연, 즉 이곳은 도넛형으로 이루어진 거구나―."

그렇다면―.

"내가 저쪽으로 돌아가서 저 녀석이 도망칠 길을 막을게. 이쪽에서 코코루가 끌어들이고, 아키라와 야노가 매복해서 공격해. 그리고 녀석이 도망치는 곳에는 내가 있을 테니까 다시 코코루 방향으로 돌아가서 루프를 걸 수 있어. 아키라는 녀석을 공격하기 쉽도록 『배니시 플립』으로 숨어있으면, 저 녀석도 코코루한테만 반응해서 돌아올 거야."

"응, 그렇구나. 가능하겠네!"

"오케이! 나는 떨어져서 코코루가 얻어맞을 때 저 녀석을 쏘면 되지?"

"그래그래, 부탁할게! 가자, 류!"

이렇게 나는 류와 함께 진로를 역행.

마에다의 위치를 지나쳐서 골든 버니를 기다리는 위치를 잡았다.

"좋아— 준비 오케이."

시스템 윈도우를 열어 아키라에게 메시지를 보냈다.

그러자 저쪽이 움직이기 시작했다.

코코루가 영차영차 코미컬하게 움직여서 골든 버니에게 다가갔다.

일정 범위까지 접근하자, 녀석이 반응해서 코코루에게 똑바로 달려가 발차기를 날렸다.

보에에! 보에에!

무척이나 격렬한 앞발차기였다.

저 녀석도 언제나 도망치는 역할이니까 가끔은 공격하고 싶은 건가.

뭐랄까, 자기보다 약한 자에게는 철저하게 세게 나오는 스타일?

현실에 있었다면 쓰레기였겠네.

그렇지만 나이스야, 코코루!

『벼룩의 심장』에도 생각지 못한 메리트가 있다는 거네!

골든 버니를 사냥할 때는 최고의 지연책이 되어주는 셈이다.

구린 스킬을 발상의 역전으로 유효 활용하는 것이 나의 심금을 마구 울린다.

지금의 코코루는 엄청 빛나고 있어! 나는 이런 녀석을 정말 좋아한다고.

코코루는 정말 로망 덩어리라니까!

"크허아아아악 꼬꼬~?!"

배에 앞발차기가 제대로 꽂힌 코코루가 웅크렸다.

계속해서 앞발차기를 날리려는 골든 버니의 옆쪽에서 아키라가 이도류로 공격을 가했다.

"그렇게 둘 수는 없지! 오의『크로스 크레센트』!"

모습이 보이지 않는 아키라가 초승달 이펙트와 함께 좌우에서 2연타를 가하는 공격을 날렸다. 이도류화 된 아키라의 모션은 그것만으로는 끝나지 않았고, 한 박자 늦게 또 하나의 초승달 이펙트가 발생했다.

칼 하나 때는 2단이었던 공격이, 3단 공격으로 파워 업한 것이다.

판정은 자주 쓰는 손인 오른손에 든 『스카이 폴+1』이 메인이고, 왼손 든 야노가 페인팅한 『스틸 소드』가 서브다.

『스틸 소드』는 아이언 잉곳의 상위판인 스틸 잉곳으로 만든 검이다. 지금의 우리 레벨대에서는 표준 무기라고 할 수 있다.

이도류 상태에서의 오의 발동은, 메인 무기로 일반적인 『크로스 크레센트』처럼 2단을 날리고 추가로 서브 쪽에서 1단을 날리는 느낌이다.

스카이 폴에는 충격파도 붙으니까, 합계로 5단 공격이 될 것이다.

아키라의 크로스 크레센트가 발동. 골든 버니에게 2의 대미지!!

5단 중 2단이 맞고 나머지는 빗나갔구나.

아, 그래도 충격파는 마법 판정인가? 이 녀석, 마법은 전속성 무효일지도.

외톨이 메〇이라고 생각하면 그럴 거다!

아버지 때는 드래ㅇ람[#2]으로 일격사였던 시절도 있었다고 하지만!

보에에에에에에에?!

유우나의 공격. 골든 버니에게 1의 대미지!

황급히 뛰쳐나온 녀석에게 야노의 공격도 맞았다.

그리고 맹렬한 스피드로 내 앞까지 온 녀석은 나를 보고 돌아갔다.

그때 이미 아키라는 다시 『패니시 플립』을 써서 모습을 감췄으니까, 코코루 혼자 있는 것처럼 보였을 거다.

다시 코코루에게 돌진해서 앞발차기를 날렸다.

"꼬꼬?!"

"오의 『크로스 크레센트』!"

플러스 총격!

보에에에에에에에?!

다시 이리로 왔다! 그러나 유턴! 다시 코코루가 혼자서 뚜

#2 드래ㅇ람 드래곤 퀘스트 시리즈에 등장하는 용으로 변신하는 주문 『드래고람』. 옛 시리즈에서는 메탈계 몬스터를 상대할 때 특히 효과가 좋았다고 한다.

벅뚜벅 걷고 있다.

보에에! 보에에!

"아프다 꼬꼬! 하지만 이 녀석, 바보다 꼬꼬!"

이하동문!

이걸 몇 번 반복해서— 이윽고 드디어 골든 버니가 쓰러졌다.

보에에에에에에에에~~~~!

그리고— 우리 전원이 단숨에 레벨 업했다.

레벨 업 팡파르가 경쾌하게 울려 퍼졌다.

"좋았어, 잘 먹혔네! 오오오오 레벨이 오른다 올라!"

"해냈다! 이거 짭짤하네!"

"무지 짭짤하잖아! 좋네, 『하늘의 균열』!"

각자 2씩. 코코루에 이르러서는 원래 우리보다 레벨이 낮은 데다 프린세스 스컬 링 덕분에 8이나 올랐다.

이걸로 우리의 레벨은 나 45, 아키라 47, 마에다 47, 야노 48!

그리고 코코루는 38이 되었다!

"결국, 코토미가 니트로로 떨어뜨렸던 덕분이었다 꼬꼬."

"뜻밖의 공적이네. 떨어뜨린 건 미안하지만."

"그리고 네 덕분이기도 해. 코코루! 네가 저 녀석을 끌어들이지 않았다면 쓰러뜨리는 데 더 고생했을 테니까. 빨리 쓰러뜨렸다는 건, 즉 레벨 업 효율이 좋다는 뜻이야."

가이드북에는 골든 버니를 쓰러뜨리는 건 꽤 힘들다고 적혀있었지만, 이 인원으로 꽤 간단히 쓰러뜨렸다. 녀석의 코코루만 공격하는 습성을 이용했기 때문이다.

이거 다시 골든 버니를 뽑으면, 폭발적으로 레벨을 올릴 수 있겠어!

게다가 녀석이 남겨두고 간 것은 막대한 경험치만이 아니었다.

"아, 렌. 전리품도 나왔어!"

"오오! 어디어디―"

"흠흠, 『버니 골드』? 오오, 이거 레어 소재인데?!"

"공략본에는 골든 버니의 아이템 드롭률은 엄청 낮다고 적혀있었어."

"와! 그럼 팔아도 비싸겠네!"

"역시 아키라와 함께 있으면 레어한 것들도 펑펑 나오네. 이건 좋은 걸 만들 수 있을 것 같은 예감이 들어! 이미지로는 외톨이 메○의 검이라든가! 이 녀석의 담당 포지션을 생각하면 그렇다고!"

"나도 조금 그 생각 했어! 최강 무기잖아! 전설 속 용사의 검 같은 것보다 강하니까!"

"그러게!"

"그거 엄청 옛날에 나온 레트로 게임 이야기지? 일단 소재니까 타카시로한테 맡길까?"

"응, 좋아."

"응. 상관없어."

모두가 그렇게 말해서 내가 『버니 골드』를 맡아두기로 했다.

돈이 되어줄지 누군가의 무기가 되어줄지, 기대해보도록 할까.

"좋아. 그럼 밖으로 나가서 다른 『천공의 균열』을 찾자!"

자, 분위기 탔어! 팍팍 레벨을 올리자!

우리는 힘차게 밖으로 나갔고— 나온 그곳은 공중에 뜬 비공정 갑판 위였다.

『하늘의 균열』에서 나오면 이렇게 되는 모양이다.

그리고 다음 『하늘의 균열』을 찾기 위해 다시 마에다가 니트로를 켜고 날았다.

그러나— 결과만 말하자면 그날은 다른 『하늘의 균열』에 들어갈 수 없었다.

왜냐하면, 우리와 마찬가지로 『하늘의 균열』을 노리는 다른 길드 라이벌이 많았기 때문이다. 하늘은 하늘대로 『하늘의 균열』을 둘러싼 과당 경쟁이 벌어지고 있었다.

이래서는 처음에 겪은 비기너즈 럭이 되어버린다—

뭔가 방도를 생각해야겠다.

◆◇◆

다음 날— 나는 수업 시작 한 시간 전에 로그인했다.

어제는 첫『하늘의 균열』에는 침입할 수 있었고, 게다가 『골든 버니』가 나와줬지만, 그 이후가 이어지지 않았다.

그밖에도『하늘의 균열』을 노리는 길드가 너무 많단 말이지…….

모두 특매품에 몰려오는 주부 같은 기세로 쇄도하니까.

『하늘의 균열』이 동시에 몇 개 존재하는지는 모르지만, 효율 좋게 안으로 들어갈 수 있는 환경을 만들지 않으면 레벨업도 뜻대로 되지 않는다.

다른 사냥터는 대형 길드의 방해 공작으로 뭉개졌으니, 『하늘의 균열』로 레벨업을 할 수밖에 없단 말이지……. 어떻게든 해야—. 그러니 오늘은 이것저것 고민해봐야겠다.

"응? 시스템 메시지인가. 어디어디— 아아, 길드 대항 미션 최종 시합에 앞선 설명회에 대하여— 인가."

선생님이 배틀로얄이라고 정보 누설해준 그거다.

그러나 들은 건 그것뿐이지, 세부 조건은 모른다.

"다음 주인가. 오케이 오케이. 장소는 저번과 같은 왕궁 내 예배당이구나. 각 길드 영웅 후보와 동행할 것— 이라.

여기가 중간 발표장인 셈이겠네."

여기서 서로의 육성 상황을 보고 우열을 가리는 다툼이 펼쳐진다— 그거지?

그렇구만 그렇구만— 뭐, 다음 주까지 어떻게든 승부를 볼 목표는 잡아둬야겠다.

"아, 렌. 좋은 아침이다 꼬꼬."

길드 하우스에 로그인한 내가 길드 숍에 얼굴을 내밀자, 코코루가 가게를 보고 있었다.

"좋은 아침, 코코루. 아키라네는 벌써 왔어?"

"다들 벌써 왔다 꼬꼬. 이미 비공정 부두로 갔다 꼬꼬."

오늘은 아침 일찍 나와서 비공정을 페인팅하기로 했었다.

내가 제일 마지막인가.

마에다는 비공정 일이면 눈빛이 바뀌니까, 여섯 시 로그인 해금과 동시에 온 거겠지.

"그렇구나. 그럼 나도 갔다 올게. 가게 잘 부탁해."

나는 비공정 부두로 이동했다.

비공정은 어제와 같은 곳에 정박해 있었지만—.

"하하하— 엄청나게 변했네……."

저 비공정, 어제의 흔적이 전혀 없잖아.

전체적인 기본색이 핑크로, 배 측면에는 우리 길드의 아이콘이 큼지막하게 붙었다.

이곳저곳에 귀여운 레이스나 리본을 페인팅해놔서 매우

팬시하다.

남자가 타기에는 조금 부끄러운 모습이 되었다.

이건 마에다의 취미겠지. 귀여운 걸 좋아하니까.

뭐, 마에다가 획득한 비공정이니까 이것도 당연하겠지.

길드 아이콘 페인팅은 원래 야노 디자인이니까, 야노 테이스트이기도 하다. 아키라의 테이스트는 들어있지 않은 것 같다.

아키라에게 이런 걸 시키면 마초를 그릴 것 같았는데, 그게 없다―.

"아, 아니…… 있었나."

비공정에는 원래 여신 선수상이 설치되어 있었는데, 거기에 아키라가 길드 숍에서 상품으로 만든 마초 아머를 입혀 놨다.

그게 팬시한 비공정 디자인을 엉망으로 만들고 있었다.

"역시 이러지 않고는 배길 수 없었나…… 이미 병이네."

"아, 렌 좋은 아침~. 늦어서 벌써 끝내버렸어~."

"오, 안녕. 뭐, 나는 딱히 상관없어."

"뭐, 코토미가 얻은 거니까 코토미 취향으로 해봤어. 영차."

야노가 『레이브라의 마필』을 빙글빙글 돌리며 나타났다.

"괜찮은 느낌인 것 같아!"

마에다는 만족스러워 보였다.

"참고로 배의 이름은 피치 선더호로 했어."

"피치 선더……?"

뭐, 겉보기에는 확실히 핑크지만…….

그래도 선수상이 마초 아머를 입고 있으니까, 굳이 따지 자면 피치 머슬 같은 게 아닌가 싶은데…….

"귀엽고 빠르다는 느낌을 표현했어."

뭐, 마에다가 기뻐하고 있으니까 굳이 찬물을 끼얹지는 말자.

"빠르기라—. 그래. 실제로 성능을 더 올려야겠지. 『하늘 의 균열』도 쟁탈전이니까~."

"그러게. 어제 첫 번째는 좋았지만, 그 후에는 『하늘의 균 열』에 들어가지 못했잖아."

추월당했던 마에다는 꽤 울컥해 보였다.

핸들을 잡으면 뜨거워지는 타입인 것 같으니까.

"즉, 길드 대항 미션을 위해 비공정 강화는 필요하다는 거 지?! 좋아, 꼭 그렇게 하자! 나 니트로 증설하고 싶어!"

"아, 또 코토미가 망가지고 있어!"

"뭐, 즐기고 있다면 그것도 좋다고 생각해!"

"응응. 렌은 남 말할 일이 아니니까~."

"근데 비공정 강화를 어떻게 해?"

"강화 아이템으로. 하지만 그건 비매품이라서, 직접 몬스 터 드롭을 노리거나…… 아니면 MEP로 교환해야 해."

마에다가 확실히 조사해둔 모양이다.

"그럼 어느 사냥터도 방해를 받아서 꽉 찼으니까, 아이템 얻을 수 없지 않아?"

"그러게. 지금 상황에서는 MEP로 교환할 수밖에 없겠어."

"그럼 아직 수업까지는 시간이 있으니까, MEP 교환 카운 터로 가볼까?"

"그래. 가보자. 빨리 손을 쓰는 게 좋으니까. 『하늘의 균 열』을 확보하지 못하면 대책이 없어."

"근데 말이지. 나는 모처럼 생긴 MEP가 또 마개조이니 뭐니 하면서 이상하게 쓰일 것 같은 기분이 들거든……?"

"전혀 이상하지 않아! 빠른 건 정의니까! 자, 가보자!"

마에다가 야노의 팔을 쭉쭉 잡아당겼다.

"하하하…… 왠지 코토미 안의 어둠을 본 것 같은데. 그래 그래, 간다구."

말이야 그렇게 하지만, 야노는 조금 기뻐 보였다.

이래 봬도 꽤 포용력 있는 타입이니까.

마에다의 본 적 없는 일면을 보았고, 그게 자신을 휘두르 는 걸 어쩔 수 없다고 생각하면서도 자신를 의지해주는 게 기쁘다고 생각하는 건가.

민폐라고 하면서도 화를 내지 않는 게 마음이 넓단 말이 지. 갸루지만.

좋아. 그럼 교환 카운터로 고~!

우리가 MEP교환 카운터로 가자, 그곳에는 선객이 있었다.

"앗! 노조미. 좋은 아침이네요."

아카바네와 카타오카였다.

카타오카 녀석, 오늘도 오늘대로 일벌답게 여왕벌에게 달라붙어 있구나.

어느 의미로는 한결같은 녀석이다.

그나저나, 카타오카는 아무래도 좋고―.

"어머, 아키라. 잘 지내셨나요."

아카바네가 아키라에게 웃으며 인사를 받아줬다!

어라― 어째서? 그 미묘하게 찌릿하고 거북한 분위기가 되지 않는 겁니까!

"어라? 두 사람 왜 그래? 어느새 친해졌어?"

"무, 무슨 말씀이시죠……?! 저, 저는―."

우물쭈물하는 아카바네를 아키라가 스윽 제지했다.

"맞아. 역시 말이지. 사람은 전장에서 어깨를 나란히 하고 싸우면 우정이 싹트는 거야."

"뭐하고 싸운 거야, 뭐하고―."

저번 리엘리즈 공주 유괴 퀘스트의 그건가?

"뭐, 뭐어 당신이 그렇게 말한다면야, 그렇다고 해드려도 좋아요!"

변함없이 츤데레네.

하지만 히죽거리는 걸 참고 있는지 입꼬리가 실룩거리고

있었다.

기쁜 것 같네. 순순히 기뻐하면 될 텐데.

"너희도 MEP 교환이냐? 카타오카."

"나는 아니야."

"그래?"

"응. MEP를 바치러 왔지!"

"……뭐, 너는 그렇구나. 그것도 좋지 않을까?"

이해할 수는 없지만, 이 녀석은 이걸로 만족하고 있으니 내버려 두자.

마에다가 카운터에 있는 NPC 누님에게 말을 걸었다.

"실례합니다— MEP 교환 리스트를 보여주세요."

"네. 이쪽입니다. 마음껏 살펴주세요."

공중에서 윈도우가 파앗 전개되며 교환 리스트가 나타났다.

탤런트부터 아이템까지 이것저것 있다.

"비공정 관련은— 어디어디."

마에다가 윈도우를 터치해서 비공정 관련 리스트로 표시를 좁혔다.

우리는 그걸 들여다봤다.

"오호라— 본체도 있네. 게다가 비싸고."

싼 비공정이라도 MEP가 3000을 밑돌지 않는다.

그중에서도 우리가 얻은 피치 선더호, LHS13형은 어떠냐면—

"우와아, 이거 9000이나 하는 건가! 비싸!"

역시 최신 모델이라는 건가.

뭐, 아무래도 시험에서 학년 1위를 따낸 만큼 포상도 굉장한 거겠지.

"근데 이거 최신 모델이라고 해도 무지 비싸네."

확실히 야노의 말대로, 소형 고속정 모델 중에서는 발군이었다.

같은 계통에서 두 번째로 비싼 거라도 4000 정도다.

무엇 때문에 이렇게까지— 우리는 LHS 13형의 스펙 내용을 주목했다.

"으~음…… 적재 용량이나 최고 속도는 딱히 다르지 않네."

아키라가 말했다.

기재된 내용에는 적재 용량 250에 최고 속도가 82다.

두 번째로 비싼 녀석은 적재 용량 245에 최고 속도가 79다.

이걸로 가격 차이가 이렇게나 나는 건가……?

"으~음…… 아, 이거 아니야? 확장 파츠 슬롯."

"어? 하지만 렌, 확장 파츠 슬롯은 8로 같은데?"

확실히 확장 파츠 슬롯의 합계 상한수는 8로 동일했다.

하지만, 확장 파츠는 종별마다 상한치가 설정되어 있다.

대포 세트나 선수 충각 등등의 공격계.

장갑판이나 배리어 등의 방어계.

스텔스 이동이나 니트로 등의 이동계.

이 세 가지 카테고리가 있고, 각각 장비수의 상한이 설정되어 있다.

그 합계 상한이 8이며, 그건 같은 기종끼리 공통된다.

그러나, 피치 선더호는 이동계의 상한도 8이다.

공/방/이가 4/4/8에다 합계 상한도 8이다.

두 번째로 비싼 녀석은 3/3/4에 합계 상한이 8이다.

"잘 보라고. 이동계의 상한이 두 배로 되어있어. 즉, 여덟 개를 전부 이동계 파츠로 넣을 수 있다는 뜻이야."

즉, 그 방면으로 특화해서 돌출된 성능으로 만들 수 있다—.

참고로 피치 선더호는 기본 장착으로 니트로 횟수를 늘리는 니트로 차저를 하나 달고 있다.

그래서 니트로를 한 번 쓸 수 있는 건데, 이건 기본 장착으로 장비되어 있어서 떼어놓을 수 없는 모양이다.

떼어놓을 수 없는 장비칸이라서, 여덟 칸 중 하나는 막혀 있는 상태다.

"그리고 마에다, 니트로의 재사용 대기시간은 240초랬지?"

"응."

"가속 효과 지속 시간은?"

"30초— 아! 그렇다면……!"

"그래. 여덟 개 전부 니트로 차저로 채우면……."

"상시 니트로네! 꿈이 넘쳐나!"

그녀는 반짝반짝한 눈빛으로 나를 바라봤다.

기쁜 듯이 얼굴을 쑥 내미는지라, 아무리 나라도 한발 물러설 수밖에 없었다.

"그, 그래…… 아마 이동계 파츠 여덟 개를 채울 수 있는 모델은 달리 없지 않을까? 그래서 비싼 거야."

뭐, 엄청 흔들리는 데다 타기 힘들겠지만, 빠르기는 빠를 거다.

타는 사람은 전혀 고려하지 않은 비공정이 될 것 같지만…….

"과연— 확실히 이동계 슬롯 8은 다른 곳에 없는 것 같아."

야노가 리스트를 스크롤하며 중얼거렸다.

"흠흠. 상시 가속이 가능한 첫 모델이라는 거네."

"맞아. 아직 아무도 손대지 않은 세팅이겠지. 어제도 그런 녀석은 못 봤으니까."

어쩌면 밸런스 브레이커 같은 무언가가 되어줄지도?

단순하게 특화한 육성이나 밸런스는 내가 좋아하는지라, 검증해보고 싶기는 하다.

"그렇게까지 특화되면 『하늘의 균열』 술래잡기도 편해지지 않을까?"

"해볼게! 나— 꿈의 8연장 니트로로 저 하늘을 제패해 보이겠어!"

마에다가 주먹을 움켜쥐며 선언했다. 눈이 타오르고 있어. 열혈이네~.

그리고 길드 대항 미션에서도 이렇게 해준다면 매우 큰

도움이 될 거다.

"……저 사람, 저런 성격이었나요? 뭔가 안 좋은 거라도 먹었나요?"

아카바네가 고개를 갸웃했다.

"아니…… 우리도 최근에 알게 돼서—."

하지만 뭐, 나는 딱히 막지 않는다. 오히려 재미있으니까 어울려주자!

"좋아. 그럼 모두의 MEP 파워를 결집해서 니트로 차저를 일곱 개 사자."

나도 원하는 탤런트가 있지만, 여기서는 팀 전술을 우선해야 하니까.

"다들 고마워!"

"아하하하. 뭐, 코토미한테는 신세 지고 있으니까."

"자자. 가끔은 코토미도 스트레스 풀어야지."

그렇게 방침이 정해졌는데, 니트로 차저 교환 비율은 어떨까. 우리는 교환 리스트에서 니트로 차저 항목을 확인했고—.

니트로 차저 : 500포인트

음— 이건…….

우리의 MEP는 원래 거의 텅 비어있었던 게 이번 시험에서 보충됐다.

마에다 784점, 아키라 704점, 나 567점, 야노 271점.

합계 2300 남짓.

개당 500인 니트로 차저 7개가 3500 필요. 응, 부족해!

"부족하잖아! 이 녀석 비싸네—."

"그럴 수가…… 기대하고 있었는데—."

마에다가 어깨를 떨궜다.

"어머. 그럼 제 MEP도 사용하면 되지 않나요?"

옆에서 아카바네가 말했다.

"""""에에에에엑?!"""""

우리의 목소리가 겹쳤다. 오오오오오! 하늘의 도움! 고맙구려, 고맙구려!

"노조미, 정말 괜찮나요?!"

"상관없어요. 그 대신 교환 조건을 내세우겠어요. 우리 NPC도 레벨업에 참가해도 될까요? 우리도 프라이빗 던전은 갖고 있지 않아서 골머리를 썩이는 중이었거든요."

아, 아카바네 쪽도 그렇게 크지는 않나.

뭐, 그 오라버니가 길드 마스터인 이상, 대형으로 발전하지는 않겠지. —다들 기겁할 테니까.

아카바네의 경우, 단지 그것만이 아니라 아키라와 함께하고 싶은 것도 있겠지만.

자기가 말을 꺼낼 수 없으니까, 거래를 들먹이며 같이 즐기려 하는 거다.

"말이야 그렇지만, 절반은 아키라와 같이 즐기고 싶었다— 그거지?"

"맞아요 맞— 아니, 아니라고요. 바보 같은 소리는 하지 마세요!"

아아, 빨개졌다. 오늘도 츤데레네. 무심코 태클을 걸고 싶어진다.

"그럼, 어쩔 거죠? 할 건가요, 안 할 건가요!"

"난 하고 싶어! 자, 하고 싶은 사람 거수!"

"할래 할래!"

아키라의 재촉에 나도 손을 들었다.

"나도나도나도!"

마에다가 거절할 리가 없었다.

"하긴 하겠지만, 조건이 하나 있어!"

야노만 조건부 찬성이었다.

"어머? 뭔가요?"

"같이 레벨업하는 건 좋지만, 그— 미안하지만 오라버니와 함께하는 건 사양하고 싶거든. 그건 버틸 수가 없다구."

아, 야노는 무리 같긴 했지. 제일 무서워했으니까.

"아— 그건 알겠어요. 문제없어요."

"그럼 완전 오케이야!"

이야기가 정리됐다. 이걸로 레벨업도 잘 되려나.

그때, 나는 조금 신경 쓰이는 게 있어서 카타오카에게 작은 목소리로 물었다.

"야, 카타오카. 너는 괜찮은 거냐? 분명 네 MEP도 들어 있을 텐데?"

아카바네는 MEP를 내는 대신 레벨업을 같이 하고 싶다고 했지만, 카타오카의 길드는 대형 정보상 길드 널리지 레이크라서 아카바네와는 다르다.

카타오카의 길드 NPC는 쿠자타 씨니까, 길드의 프라이빗 던전에서 수행하고 있겠지.

즉, 카타오카에게는 아무런 메리트가 없는 셈인데……?

"훗. 나의 것은 노조미 님의 것. 노조미 님의 것은 노조미 님의 것. 내 의지 따위는 필요 없다고."

"아니 뭐, 네가 그걸로 좋다면 상관없지만."

이 녀석에게는 뭘 말해봤자 소용없네! 내버려 두자!

우리는 전원의 MEP로 니트로 차저 일곱 개를 얻었다.

이걸로 8연장 상시 니트로가 실현되었는데— 자, 어떻게 될지 기대되네.

"좋았어. 그럼 오늘 방과 후부터 합동 레벨업을 나가자!"

우리는 그런 약속을 나누고 학교 수업을 하러 갔다.

　수업은 막힘없이 끝났고, 그리고 방과 후— 우리는 코코루를 데리고 집합 장소인 비공정 부두로 향해서 아카바네를 기다렸다.

　"합동으로 레벨업이냐 꼬꼬? 저쪽 영웅 후보는 누구냐 꼬꼬?"

　"아. 셀피 뮤즈야."

　영웅 드래프트 회장에서 제일 인기가 많았던 드래프트 후보다.

　확실히 초기부터 레벨 60 오버였고, 마법도 다수 보유.

　설정으로는 미슈리아국에 사는 엘프 족장의 딸이었던가.

　금발 미소녀 엘프였다.

　우리가 코코루를 지명한 뒤에 가져갔었지. 오라버니가.

　지명이 엄청 경합했던 가운데 훌륭하게— 그때는 뭐라 말 못 할 분위기였다.

　코코루도 현장에서 보고 있었다. 이번 합동 레벨업 상대가 오라버니의 길드라고 말하지는 않았으니 몰랐겠지만.

　"셀피였나 꼬꼬?! 확실히 이상한 녀석의 길드였다 꼬꼬. 괜찮냐 꼬꼬……?"

"그래. 녀석은 안 올 거니까 괜찮아."

"그럼 안심이다 꼬꼬."

피치 선더호 갑판에서 우리가 대화를 나누는 와중에 뒤에서 아카바네의 목소리가 들렸다.

"오래 기다리셨네요. 가도록 하죠."

그리고 그녀가 데려온 것은—.

풀 페이스 철가면에, 크림슨 레드의 작은 스카프 머플러에—.

나, 나나나나왔다—! 녀, 녀석이 따라온 건가……!

오지 말라고 했었는데—!

"으갸아아아아악! 나, 나왔다아아아아! 안 된다고 했는데 에에에에?!"

야노가 무서워하며 그늘에 숨고 말았다.

"아! 기다리세요— 이쪽은 오라버니가 아니에요. 잘 보시라고요!"

그 말을 듣고, 그 인물의 캐릭터명을 봤다—.

셀피 뮤즈, 라고 되어있었다.

"……어째서 이렇게 된 거야?!"

나는 무심코 목소리를 높였다.

"꼬꼬~?! 셀피가 이상해졌다 꼬꼬!"

코코루도 변해버린 셀피의 모습에 놀란 낌새였다.

드래프트 때는 평범한 미소녀 엘프 NPC였는데—.

지금은 핑크색으로 칠한 풀 페이스 헬멧에 크림슨 레드의 작은 스카프 머플러에—.

아래쪽은 역시 본가처럼 수영복 팬티 한 장은 아니어서, 평범한 옷을 입었지만……

아, 저 헬멧. 전에 아키라가 아카바네에게 줬다가 싫어했던 그거 아닌가……?!

"다른 고장에 가면 그곳의 풍속을 따르라고 하니까요. 신세를 지고 있는 길드의 방식을 따르고 있을 뿐이에요."

철가면 안에서 부드럽고 약간 느긋하게 느껴지는 목소리가 들렸다.

은근히 태연해 보이네…… 쟤는 좀 순진한 기질인가.

"어떤가요? 코코루. 꽤 괜찮지 않나요?"

"나, 나는 렌 쪽에 와서 다행이다 꼬꼬……."

코코루는 그렇게 말하지만, 뭐 코코루의 체형이라면 딱히 헬멧을 써도 그렇게 이상해 보이지는 않겠지.

오히려 조금 귀엽게 보일지도 모른다. 동그란 닭 같은 체형이니까.

"셸피 씨는 오라버니와 대화를 나누다가 의기투합했는지, 흉내를 내고 있어요."

아카바네가 설명했다. 대체 무슨 센스야. 녀석과 의기투합하다니—.

그러나 레벨은 드래프트 때 봤던 레벨 62 그대로다.

확실히 레벨업에는 고전하는 모양이다.

뭐, 이 사람이라면 딱히 더 올리지 않아도 레벨이 높으니까 꽤 잘 싸울 수 있겠지만.

"네! 레벨이 발군인데도 마음이 다정하셔서 살생을 즐기지 않는— 근사한 분이에요. 저도 그분처럼 되고 싶어요!"

그녀는 그렇게 말하면서 그 사람의 팔짱 끼는 멋있는 포즈를 흉내 냈다.

수상해……. 대체 센스가 어떻게 된 거야. 뭐, 본인이 행복하다면 그래도 상관없지만.

다른 후보라면 힐 더 힐의 알프레드처럼, 본인은 성실하고 무척 좋은 사람인데 길드의 악행에 한몫 거들면서 슬퍼하고 있었으니까, 그런 의미에서는 셀피가 더 행복할지도 모른다.

아니, 우리가 보면 불쌍하다…… 라는 생각밖에 들지 않지만.

"……야노, 괜찮아?"

"아, 응. 뭐, 밑에는 옷 입고 있으니까 견디지 못할 정도는 아니구……."

그래도 약간 싫은 것 같다.

"하하하— 그럼 뭐, 바로 레벨업하러 갈까?"

마음을 다잡은 아키라가 중재했다.

우리는 전원 수긍하고 조타실로 들어갔다.

확실히 들어와 있지 않으면 날아가버릴 테니까— 아마도.

난간을 꽉 잡고 버텨야지.

그러지 않으면 어차피 마에다가 그거 할 테니까, 그거.

"류는 나를 꽉 붙잡고 있어."

"렌을 뀨~할래~."

혀짤배기 말이 돌아왔다.

조금씩 말을 할 수 있게 되고 있네.

"아카바네와 셀피도."

"알았다 꼬꼬."

"네."

"알았어요!"

그리고— 마에다가 천천히 비공정 타룬을 잡았다.

타룬 바깥쪽의 손잡이가 빨간 부분이 니트로 스위치인데, 우리의 MEP를 전부 투입한 혼신의 커스텀으로 인해 빨간 손잡이가 여덟 개로 늘어났다.

이건 이미 어제의 피치 선더호와는 비슷하지만 다른 무언가겠네—.

이른바 마개조 피치 선더호다! 나도 이 녀석의 퍼포먼스가 기대된다.

"그럼, 출발할게!"

마에다는 그렇게 선언하며—.

철컹!

역시나! 느닷없이 니트로였다. 예상대로!

두 번째인 우리는 마에다의 행동 패턴을 예상하고 있었다.

그래서 난간을 잡고 버텼지만, 아카바네와 셀피는 첫 체험.

내가 주의를 줬지만 역시 방심하고 있었는지, 그대로 균형을 잃었다.

"꺄앗?!"

"우와아앗?! 이리 오지 말라구!"

셀피에게 안긴 야노가 기겁했다.

아무래도 저 풀 페이스 헬멧 자체에 거부감을 느끼는 모양이다.

"꺄아아앗?!"

아카바네도 비명을 질렀고, 그녀는 나를 끌어안게 되었다.

그리고, 운 나쁘게도 내 뺨에 키스하는 듯한 그림이 되고 말았다.

"죄, 죄송해요……! 실례했습니다—."

"아, 아니. 괜찮아. 난간을 확실히 잡고 있지 않으면 위험해."

뭐, 이득? 인 건지는 모르겠지만—.

"…………."

아키라가 엄청나게 게슴츠레한 눈으로 이쪽을 쳐다봤다.

"아, 아니거든요. 아키라! 이건 불행한 사고고—!"

나보다 아카바네가 더 당황했다.

뭐, 아카바네는 내게 흥미가 있는 게 아니라, 아키라와 친하게 지내고 싶을 뿐이니까.

"난 노조미와 친해질 수 있을 줄 알았는데, 그건 꿈이었나 보네요—."

"아아아앗! 아, 아니거든요. 그건 현실이니까—!"

안쓰러울 정도로 허둥대고 있었다.

그런 가운데 마에다는 니트로의 레버를 쭉쭉 당겼다.

"빨라아아아아아아아~~~ 꼬꼬! 전보다 터무니없이 빨라지지 않았나 꼬꼬~~?!"

"후후후후♪ 니트로를 동시 사용할 수 있는 것 같아! 이것도 검증해야겠네!"

니트로는 발동하면 30초간 가속한다.

그걸 끊김 없이 발동하면 상시 니트로가 되지만, 8연장을 동시 발동할 수도 있는 모양이다.

그게 저번 니트로보다 명백하게 빠른 초고속을 만들어낸 것이다.

순식간에 다른 길드의 비공정이 『하늘의 균열』 쟁탈전을 벌이고 있는 공역에 도착해서, 같은 방향으로 나아가는 비공정을 잽싸게 추월했다.

마침 오른쪽 전방에 『하늘의 균열』이 생성되어 있었다.

그나저나 이거, 전진은 엄청 빠른데 방향 전환을 할 수 있을까—?!

"자, 저기로 들어가자!"

마에다가 키를 돌렸다. 타륜이 끼릭끼릭 소리를 내며 돌아갔다.

선체가 드리프트처럼 옆으로 기울어지며 방향 전환했다.

우리는 각자 비명을 지르며 고삐에 한껏 달라붙었다.

엄청 흔들려! 꽤 레벨 높은 절규 머신 같은 탑승감이야!

결과적으로 피치 선더호는 훌륭하게 후방에 있는 다른 길드를 추월해서 『하늘의 균열』에 침입했다.

"해냈어! 얘들아 해냈어! 이제 『하늘의 균열』에 마음껏 들어갈 수 있어!"

내부의 인스턴스 던전으로 전송되자 마에다는 기뻐했지만—.

""""""아~ 메스꺼워…….""""""

우리는 흔들림 탓에 그로기 상태가 됐는데…… 마에다는 용케 멀쩡하네.

하지만 모처럼 안으로 들어왔으니, 레벨업을 해야—.

"자, 얘들아. 레벨업 하러 가자!"

우리는 혼자 기운찬 마에다의 재촉을 받으며 던전의 낌새를 살폈다.

이번에는 저번 같은 도넛형 원형 통로 같은 지형이 아니라, 단순히 커다란 광장 같았다.

주변 벽은 울퉁불퉁한 암벽이지만, 발밑에는 잔디 같은 녹색이 깔렸다.

그게 한껏 이어져 있다. 역시 들어올 때마다 구조도 랜덤 같네.

"오오, 이번에는 깔끔하게 넓네…… 도쿄 돔 몇 개가 들어 갈까?"

"…………."

평소였다면 또 야구 쪽으로 생각하네~, 라면서 뭐라 대답 해주는 아키라가 말이 없었다.

어라, 하고 옆을 보니 고개를 홱 돌리고 있었다.

아, 뭔가 기분이 안 좋나……?

한 템포 늦게 야노가 대답해줬다.

"그 예시는 솔직히 야구팬 말고는 반응하기 힘들거든. 여 고딩 입장에서는 디즈니 랜드로 비유해줬으면 좋겠어."

"대략 11배라고 해. 다시 말해 1 디즈니 랜드는 11 도쿄 돔 이네."

"그럼 1 도쿄 돔은— 어~어……."

"0.09 디즈니 랜드네."

역시 마에다는 학력왕이구나.

니트로로 비공정을 날리는 능력만 있는 게 아니다.

아니, 원래 두뇌 담당이 메인이지만.

이렇게 우등생인 아이도, 핸들을 잡으면 사람이 달라진단 말이지.

"아앗! 발이 미끄러졌어요!"

느닷없이 옆 사람에게 떠밀렸다, 아니 태클을 얻어맞았다.

아카바네의 짓이었다. 아니, 뭔가 엄청나게 노골적이었는데. 이거 분명 일부러지!

그리고 기습을 맞은 나는 옆에 있던 아키라를 덮쳐서 함께 쓰러지고 말았다.

"우왓?!"

"⋯⋯꺄앗?!"

겹쳐서 쓰러질 때, 내 뺨에 부드러운 것이⋯⋯.

아키라의 입술이다. 이득 2인지는 모르겠다.

"레, 렌⋯⋯! 정말, 남들 앞에서 이런 짓 하면 안 되거든―."

"미, 미안. 아키라⋯⋯! 그래도 아카바네가―."

"어머머머, 미안해요. 정말로 발이 미끄러졌다고요. 그래도 이득 봤네요? 저와 했을 때보다 훨씬 기뻤죠? 그렇죠? 네?!"

엄청나게 필사적이다. 억지로 나를 밀어내서 아까의 그걸 상쇄하려고 하고 있구나!

그렇게나 아키라에게 미움받고 싶지 않은 건가. 뭐, 그럼 협력하자.

"아, 아니. 그건 그렇지만⋯⋯."

나는 그렇게 말하면서 일어났다.

뭐, 딱히 거짓말은 아니니까.

그리고 아직 누워있는 아키라에게 손을 뻗자, 그녀는 방긋 웃으며 손을 잡았다.

"뭐, 상관없지만. 그래도 상대가 내가 아니었다면 벌써 고소당했거든? 지금 시작된 일도 아니고."

"그만둬, 남 듣기 안 좋잖아! 자, 레벨업 하러 가자. 레벨업!"

기억나는 게 없는 건 아니지만.

하지만 이런 쓸데없는 짓을 한 덕분에, 비공정에서 휘둘렸을 때의 메스꺼운 기분도 잦아들었다.

나는 다시금 눈앞에 펼쳐진 넓은 구역을 바라봤다.

배회하는 몬스터도 당연히 존재하고 있고, 구역의 넓이 탓에 숫자도 상당하다.

버팔로라든가 늑대라든가, 짐승계 적이 많다.

보이는 범위 안에서는 왕관 달린 레어 몬스터는 없다.

"꽤 적이 많네~. 이러면 잔뜩 사냥할 수 있겠어."

아키라는 카메라로 스샷을 찍으면서 말했다.

"왕관 달린 녀석은 보여?"

카메라의 줌으로 꽤 멀리까지 보일 것 같아 물어봤다.

"아니. 안 보여."

"과연—."

그럼 일반 몬스터뿐이니까, 적의 경험치는 이쪽과의 레벨 차로 정해진다.

우리보다 레벨이 너무 낮은 적은 쓰러뜨려봤자 경험치를 얻을 수 없다.

이게 일반적인 경험치 계산.

레어계 몬스터는 고정 경험치를 가져서, 상대의 레벨이 낮아도 고정치만큼 들어오지만.

적의 레벨은 대략 레벨 50대 중반이다.

40대인 우리에게는 딱 좋지만—.

"우리에게는 딱 좋지만, 셀피에게는 레벨이 너무 낮네."

경험치 계산은, 파티 내 최대 레벨로 계산하니까 셀피가 들어오면 우리가 적을 쓰러뜨려도 경험치는 거의 들어오지 않는다.

일단 떨어져서 보라고 할까……?

"괜찮아요. 『레벨 어저스트』가 있으니까요."

"오! 나이스, 살았어!"

『레벨 어저스트』는 그 이름대로 레벨을 조절하는 탤런트다.

파티 멤버의 레벨 상한을 일시적으로 임의의 수치로 제한한다.

예를 들어 45로 설정하면, 그걸 넘는 멤버는 레벨 45가 되고, 그 미만의 멤버는 그대로다.

경험치 계산은 45 기준이므로, 경험치도 문제없이 얻을 수 있다.

레벨업을 원활하게 하기 위한 탤런트다.

우리는 얻을 여유가 없었기에, 아카바네가 가지고 있다면 다행이다.

누군가 한 명만 가지고 있으면 전원에게 효과가 있으니까.

"그럼 제한은 타카시로의 45로 해도 될까요?"

"네. 그러면 이도류도 쓸 수 있으니까요! 고마워요, 노조미!"

아키라가 기뻐하며 두 자루의 검을 뽑아서 자세를 잡았다.

"하하. 이제 막 익혔으니까 신났네, 앗키."

"응응. 아직 시운전 정도로는 부족하니까!"

"확실히 좋긴 해. 움직임을 봐도 기분 좋아 보였어. 손패가 늘었으니까."

"네 이놈, 이도류……."

뭐, 아키라가 즐겁게 사용한다면 딱히 막지는 않겠지만―.

망캐 마이스터인 나는 이런 누구나 귀족 대접해주는 인기캐가 마음에 들지 않는다.

이런 국민적 인기캐를 쓰러뜨리는 것이 마개조의 묘미다.

즉, 이 녀석은 쓰러뜨려야 할 적인 셈이지! 용서할 수 없다!

"아하하. 렌은 이도류를 싫어하니까~."

내 반응을 본 아키라가 웃었다.

"그래. 옛날의 거ㅇ 같은 셈이야. 마음에 안 들어."

"또 야구로 비유하네. 그거, 평범한 여고생한테는 안 통하거든."

"뭔 소리야?"

"즉, 어떤 게임에서도 인기가 많으니까 로망을 느끼지 않는대."

"예스, 바로 그거야!"

"하하하…… 쓸데없는 고집이네."

"아니, 그건 어쩔 수 없어. 나한테서 그걸 빼앗아가면 게임이 즐겁지 않게 되니까."

"뭐, 타카시로다워…… 굉장히."

"후후후. 하지만 나는 자중하지 않거든? 소드 댄서를 하라고 했던 건 렌이니까, 자업자득이야♪"

"말하지 않아도 아키라는 자중 같은 건 하지 않잖아."

"응, 안 하지! 렌도 안 하니까 피차일반이잖아."

"그렇긴 하지— 그러니까, 여기서는 나도 자중하지 않고 이도류를 무쓸모로 만들어줄까."

"오, 뭐야 뭐야? 뭔가 보여줄 거야?"

"그래."

"자, 『레벨 어저스트』의 설정이 다 됐어요."

"좋아. 그럼— 느긋하게 이도류로 서걱서걱 할 여유가 없을 만큼 스피드하게 적을 사냥하겠어!"

나는 그렇게 선언했다.

길드 대항 미션이 있는 이상, 레벨업 자체도 효율적으로 진행할 필요가 있다.

그렇다. 지금은 효율이야말로 정의!

보다 빠르게, 보다 효율적으로 경험치라는 의미의 시급을 추구할 것!

—그렇게 우리는 레벨업을 시작했다.

"좋아! 갔다 올게!"

먼저 『스프린트』를 발동한 야노가 주변 몬스터의 눈앞을 달렸다.

눈치채면 덮쳐오는 선공형 적은 그걸 보고 뒤를 쫓기 시작했다.

한동안 달리자, 야노의 뒤에는 열 마리를 넘는 몬스터가 달라붙어 있었다.

치프 울프　　레벨 53×5

불 버팔로　　레벨 55×6

이 정도다.

야노가 그걸 끌고 우리가 진을 친 곳까지 돌아왔다.

가벼운 몹몰이다. 원래는 위협적이라고 해야 할지도 모르지만, 지금의 우리는 이 녀석들이 경험치로밖에 보이지 않는다.

단숨에 처리할 수 있기 때문이다. 우리에게는 이게 있다.

"마에다!"

"응!"

""『매직 인게이지』!""

여기서—.

"『디마인 서클』!"

"『디아볼릭 하울』!"

오랜만에 사용하는 합체마법이다.

야노가 끌고 온 적을 전부 삼키는 범위로 문장진을 전개.

안에서 드래곤 헤드가 튀어나와 적을 씹어버리자 단숨에 HP 7할이 깎였다.

오랜만에 쓰는 거지만, 역시 단순한 잔챙이 적에게는 압도적인 위력을 발휘하는군.

그리고 남은 양을 깎는 건—.

"하지만 기다려줘요!『그랜드 프리즈』!"

그분의 흉내를 내서 핑크색 풀 페이스 헬맷을 뒤집어쓴 셀피가 말투까지 흉내 내며 공격마법을 날렸다.

그녀의 발밑에서 부채꼴 모양으로 지면이 얼어붙더니, 그곳에서 창 같은 고드름이 솟아났다.

고드름에 맞으면 대미지가 발생, 게다가 발을 묶는 효과를 가진『동결』상태 이상도 일으킨다.

꽤 쓸만한 공격마법이다. 이걸 미리 습득해둔 이 아이는 역시 유능하다.

그 녀석 때문에 이상해진 것이 안쓰럽다.

그리고 여기에—.

"『그랜드 웨이브』!"

"오의『크로스 크레센트』!"

아카바네의 범위 공격 아츠에 아키라의 범위 공격 오의!

이걸로 야노가 낚아온 11마리의 적은 괴멸이다.

경험치가 우수수 들어와서─.

"꼬꼬~! 또 올랐다 꼬꼬!"

우리는 아무도 오르지 않았지만, 코코루는 프린세스 스컬 링으로 3배속이니까.

뭐, 아무것도 하지 않았지만─.

원래 상태라면 『벼룩의 심장』 탓에 적에게 전혀 대미지를 입히지 못하니까.

그렇다고 그 악덕 상인의 필살기를 여기서 아카바네에게 보여줄 수도 없다.

실제 배틀로얄에서는 적이니까. 손패를 숨길 수 있으면 숨 겨두고 싶다.

뭐, 코코루는 그냥 따라와서 레벨이나 올리라고 하자.

"오. 팍팍 레벨을 올리라고. 코코루!"

"왠지 면목 없다 꼬꼬…… 난 아무것도 하지 않았다 꼬꼬. 불로소득으로 레벨만 오른다 꼬꼬."

"그래도 괜찮아. 대신 열심히 가게 봐주고 있잖아."

코코루는 가게를 보는 것만이 아니라 상품까지 만들어주고 있다.

우리가 아무것도 하지 않아도, 자는 사이에 코코루가 길드 숍을 운영해주고 있다.

레벨업에 전념하더라도 활동 자금이 생기는 건 매우 크다.

그런 점에서는, 사실 코코루의 공헌도는 꽤 높다.

"자, 유우나. 『검의 춤』!"

아키라의 『검의 춤』으로 야노의 『스프린트』가 재사용 가능해졌다.

"좋았어. 그럼 갔다 올게!"

다시 야노가 달려서 적을 몰아왔다.

나와 마에다는 힐링 포즈를 취하며 MP를 회복시켰다.

다시 야노가 돌아오면 이후로는 그냥 반복이다.

이 시스템에서는 이도류로 적을 서걱서걱하는 장면은 어디에도 없다고!

몰아와서 광역 공격으로 섬멸을 반복하고 있으니까!

그러나 이게 효율이 좋은 이상, 어쩔 수 없다. 서둘러야할 때는 효율이야말로 정의!

우리는 이걸 반복에서 이 『하늘의 균열』에 있는 적을 섬멸했다.

물론 골든 버니의 짭짤함에는 미치지 못하지만, 그럭저럭좋은 사냥이 되었다.

"아~앙, 진짜 이도류의 차례가 없잖아~! 렌 심술궂어!"

"아니아니, 효율을 중시한 결과니까! 아, 저기 봐. 저기 하나 남아있으니까, 저건 그냥 두들겨도 좋아."

우리는 입구에서 반대 사이드 끄트머리에 있는 출구로 이동하며 적을 섬멸했다.

출구는 이제 얼마 남지 않았지만, 그쪽에는 불 버팔로 하나가 아직 남아있었다.

저걸 쓰러뜨리면 이제 끝이다.

『하늘의 균열』 안에 있는 적은 시간이 지나도 다시 나오지 않으니까.

"아싸! 그럼 다녀오겠습니다~!"

아키라가 스카이 폴의 충격파 공격을 날렸다.

대미지를 받은 적이 다가왔다.

"좋아, 와라!"

아키라가 기뻐하며 이도류를 휘둘러 적과 접근전을 시작했다.

"나두~!"

야노도 적을 낚아오는 것만 해서 질렸는지 총검으로 서걱서걱 공격했다.

우리는 그걸 지켜보며 휴식했다.

나오면 바로 폭주하는 피치 선더호를 타게 된다. 숨을 가다듬자.

"마무리! 오의 『에어리얼 풀 문』!"

적을 높이 띄우고 자신도 날아올라 공중에서 세로 방향 회전 베기.

화려한 액션으로 적을 격침시킨 아키라는 만족하며 미소를 지었다.

"응, 개운해졌어~!"

그럼 다음으로 가볼까, 하고 생각했을 때―.

"큐~! 렌~! 먼가 와~!"

류가 소란을 부렸다.

아, 이건 그거네―! 새로운 스킬의 시간이로군요!

좋아, 다음에는 뭐냐?! 컴온 컴온!

내 눈앞에 시스템 메시지가 표시되었다.

류의 성장 단계가 올랐습니다! 습득할 스킬을 선택해 주세요.

좋았어, 왔다~~~~~!

"좋았어, 오랜만에 새 스킬 왔다!"

"오~! 어떤 거 어떤 거?"

아키라가 들여다보는 가운데, 나는 메시지 윈도우를 확대했다.

리제네레이트(상시 발동)

　〈효과〉 수호룡 근처에 있는 플레이어의 HP가

　　서서히 회복됩니다.

　　마스터 이외의 파티 멤버에도 유효합니다.

　　회복량은 1초당 5HP입니다.

베이비 브레스(전투 중)

〈효과〉 유룡의 브레스를 토해서 마스터를 원호합니다.

브레스의 대상은 마스터의 타깃과 같습니다.

본 스킬에 의한 어그로는 마스터가 이어받습니다.

그로우 업(전투 중)

〈효과〉 마스터의 AP를 소비해서 일시적으로 성장합니다.

성장 후는 마스터가 지시한 적을 공격하는 NPC로 취급 됩니다.

적의 공격으로 격파되었을 때는 유룡으로 돌아갑니다.

소비 AP 200, 효과 시간 900초.

드래곤 레코더(상시 발동)

〈효과〉 마스터의 활동을 지켜보며 모든 행동의 로그를 보존합니다.

보존된 로그는 시스템 윈도우에서 볼 수 있습니다.

또한, 로그를 게임 밖으로 배출하는 것도 가능합니다.

"오오오오오오오~!"

나는 기쁨의 환성을 내질렀다.

이건 하나뿐이다. 틀림없어. 역시 류 씨는 도움이 되는데!

"오오! 굉장해~. 이거 재미있겠네!"

"좋겠다~ 커지면 분명 강할 거야!"

"응, 기대되네!"

"수호룡답게 되겠네요."

"드디어 류도 싸울 수 있게 되는 건가 꼬꼬~."

"하지만 기다려줘요! 귀엽고 강하고, 근사하네요!"

모두 기뻐했다.

좋아, 그럼 결정할까.

"좋아, 그럼 드래곤 레코더로 결정."

꾹. 나는 선택했다.

"""""""뭐어?!"""""""

전원이 이상한 표정을 보였다.

"아니아니아니! 이거 필요하잖아! 이걸로 검증 작업이 더 수월해진다고! 본격적으로 시행 횟수를 늘려서 데이터를 얻으려면 필수잖아! 대미지 계산식 해석이라든가!"

대미지를 가하거나 받을 때의 로그는 그날 중에는 시스템 윈도우에서 과거 로그를 불러올 수 있지만, 일시적인 것이라 로그아웃했다 다시 로그인하면 사라진다.

그걸 영구 보존할 수 있는 것이 이 스킬이다.

비슷한 효과의 로그 수집용 탤런트도 있어서, 나는 사실 이번 정기 시험에서 번 MEP로 그걸 획득할 생각이었다.

그걸 수호룡 효과로 얻을 수 있다니 너무 좋잖아!

본격적인 검증을 하려면 대량의 데이터를 모아서 스프레드시트 소프트와 마주하는 작업이 필수다.

나는 아직 이 게임의 데이터를 해석하는 작업을 하지 못했다.

검증충으로서 빨리 해보고 싶다고! 그런고로 얻었다!

고를 수 있는데 고르지 않는다는 선택지는 없어!

"크크큭……! 이제 수천, 수만 클래스의 로그 획득과 데이터 검증을 할 수 있게 되었어!"

"아, 이거 틀렸어! 원하는 장난감을 입수한 아이의 눈이야!"

아키라가 뭔가 말하고 있지만 나는 류를 끌어안고 귀여워해줬다.

"옳~지옳지옳지! 고마워, 류. 지금부터 매일 네가 얻어주는 로그를 바라보며 지낼 테니까. 진짜로 넌 큰 도움이 될 거야."

"큐~! 렌의 도우미 대는 거, 기뻐~."

"뭐, 뭐어— 검증충이 로그 습득 툴을 포기할 수 있을 리가 없다는 거지?"

"그렇지! 역시 아키라는 잘 안다니까!"

"아니, 언제나 말하는 거지만 잘 아는 게 아니라 체념한 거거든? 뭐, 됐어. 그럼 다음으로 가자, 다음!"

"그래! 데이터는 재산이야! 나중에 모든 로그가 남아있으면 의욕도 배는 늘어난다니까!"

우리는 『하늘의 균열』에서 나와 다음 위치로 향했다.

마개조 피치 선더호와 마에다의 드라이빙 테크닉 덕분에 입구를 확보하는 건 어렵지 않았다.

강제 로그아웃이 되는 현실 오후 열 시까지 휴식을 끼워 넣으면서 레벨업을 한 뒤에 이날은 끝났다.

그로부터 며칠 뒤―.

다음 날 이후도 수업 후 레벨업을 이어갔고, 길드 대항 미션 최종 배틀로얄에 대한 설명회가 코앞까지 다가왔다.

코코루의 레벨은 60을 넘겼지만, 레벨 업에 필요한 경험치는 점점 늘어났다.

그 탓에 점점 레벨 업 스피드가 떨어졌다.

이런 페이스로 가면, 최종 배틀로얄을 레벨 70 전후로 맞이하게 된다.

레벨 70 전후로 이길 수 있느냐 묻는다면…… 뭐, 애매하겠지. 힘들지도 모른다.

셀피처럼 디폴트로 레벨 60 이상인 NPC도 있으니까, 좀 더 레벨을 올리고 싶은데―.

골든 버니가 좀 더 나왔다면 레벨업도 순조로웠겠지만,

처음의 그걸 포함해서 나온 건 두 번뿐이다.

만약 노리고 골든 버니를 나오게 할 수 있었다면, 레벨 100도 시야에 들어올 텐데—.

밤중에 로그아웃해서 잘 준비를 한 나는 드래곤 레코더로 출력한 로그를 PC 엑셀을 열어 살펴봤다.

역시 로그 해석은 좋다. 마음이 씻겨나가는 것 같다.

그리고 왠지 모르게 바라보다가 눈치챈 건데—.

"……오? 이건……?"

어쩌면, 좋은 정보를 발견한 걸지도 모른다.

다음 날 아침— 수업 전 교실에서 나는 마에다를 찾아갔다.

"저기, 마에다. 처음 『하늘의 균열』로 들어갔을 때, 니트로의 재사용 대기시간 조사했었지?"

"응. 아, 뭔가 비공정이 더 빨라지는 비기를 떠올렸어? 뭔데 뭔데?!"

기대감으로 가득한 눈빛이 날아왔다.

"아니, 그건 아닌데."

"뭐야— 유감이네."

노골적으로 실망하면서, 평소의 쿨한 마에다로 돌아갔다.

온과 오프의 차이가 심하네—.

"그보다 이미 그 녀석은 충분히 빠르잖아."

"아니, 아직 멀었어."

"……뭐, 상관없지만. 일단 묻고 싶은 건, 그때 현재 시간을 확인하면서 니트로의 레버를 당겼었잖아?"

"응. 1초마다 확인했었어."

"우리가『하늘의 균열』에 들어간 시간, 기억해?"

"어어— 분명 16시 2분……."

"8초야?!"

"응. 그 전후였어. 용케 알아챘네."

"오오오오! 그렇군 그렇군. 이건 당첨일지도 모르겠는데……!"

"무슨 뜻이야?"

"이거 좀 봐줘!"

나는 시스템 메뉴에서 류가 따놓은 과거 로그를 불러내서 표시했다.

어제 로그다. 윈도우에는『하늘의 균열』에 돌입한 직후, 골든 버니가 출현해서 기뻐하는 우리의 대화가 텍스트로 수록되어 있었다.

여기서 주목할 점은『하늘의 균열』에 돌입한 것을 나타내는 로그다.

평범하게 플레이할 때는 일일이 표시되지 않는 정보지만, 몇 시 몇 분에 이 구역으로 이동했다는 타임 스탬프도 기록

되어 있었다.

그리고 돌입 시간은— 20시 5분 4초였다.

"앗! 이건……?! 시간÷분=초?"

"그래. 이게 올바르다면—."

내가 과거 로그를 확인한 결과, 다른 『하늘의 균열』로 돌입한 타이밍은 모두 이 계산식에는 들어맞지 않았다.

즉—.

"노리고 골든 버니를 나오게 할 수 있다…… 그런 뜻이지?"

"그래그래! 앞으로는 레벨업 효율이 더욱 올라갈 거야."

"하지만, 은근히 단순한 법칙 아닐까? 다들 정보를 숨기고 있는 거야?"

"그래. 항상 이렇지는 않을 거야. 버그가 생겨서 이런 간단한 법칙이 되었든가, 아니면 법칙이 일정 기간에 따라 획획 변하든가— 뭐, 어찌 됐든 이용하지 않을 수는 없겠지?"

"응, 그렇겠네. 그럼 방과 후에 바로—."

"그래. 검증해보자!"

두 가지 사례만으로는 착각일 수도 있으니까.

아무튼 시험해보지 않으면 시작되지 않아!

그런고로—.

"마에다! 15시 5분 3초에 가겠어! 앞으로 10초야!"

"맡겨둬!"

철컹! 철컹! 철컹!

마에다가 니트로를 3연사하자, 피치 선더호는 다른 비공정을 추월해서 『하늘의 균열』로 날아갔다.

레이스에는 이겼다. 확보할 수 있어! 하지만—.

"조금 빨라! 2초 정도!"

"이렇게 하면—!"

마에다가 키를 힘껏 돌렸다.

선체가 덜커덩 흔들렸지만, 피치 선더호는 하늘을 드리프트해서 『하늘의 균열』을 피했다.

그렇게 피하면서도, 선수는 『하늘의 균열』을 똑바로 바라보고 있었고—.

철컹!

딱 좋은 타이밍에서 다시 니트로 발동.

선수 방향으로 선체가 돌진하며 『하늘의 균열』로 돌입했다.

시간 확인. 딱 15시 5분 3초다.

일부러 드리프트로 꺾어서 시간 조절을 한 것이다. 실력 참 좋다니까!

"좋아— 어떻지?!"

우리가 침입한 곳은— 부드러운 녹색의 나무들이 우거진 숲속 같은 지형이었다.

그리고 그곳에는, 금빛으로 반짝이는 몸을 가진 몬스터의 모습이……!

"오오오오! 좋았어 골든 버니다!"

게다가 전처럼 하나가 아니다. 보이는 것만으로도 서너 마리는 된다.

이거, 이것만으로도 평소 하루 분량의 경험치를 벌 수 있겠어!

"해냈네. 타카시로!"

"그래! 마에다도 나이스 시간 조절!"

우리는 해냈다면서 하이파이브를 나눴다.

"굉장해 렌! 이거라면 NPC 레벨은 1위를 할 수 있지 않을까?"

"후후후…… 어때. 역시 드래곤 레코더가 정답이었지? 역시 검증 환경을 갖춰놓지 않으면 이렇게 단순하고 짤짤한 현상도 놓치게 된다니까!"

드래곤 레코더를 얻지 않았다면 눈치채지 못했을 거다.

이야~ 개운하네. 검증해서 얻은 가설을 근거로 좋은 공략법을 짜냈을 때야말로 검증충이 최고로 행복한 때라니까!

이걸로 레벨업 속도는 더욱 가속될 거다.

레벨 판정인 소환 스킬을 가진 코코루에게는 레벨이야말로 힘!

본래의 스테이터스는 HP와 VIT 말고는 레벨 1 때와 다름없지만, 이거라면 어떻게든 될 거다!

마개조, 각성, 자이언트 킬링이다! 코코루가 다른 NPC를 너덜너덜 두들겨주는 모습이 눈에 선한데.

후후후후…… 그리고 나는, 의기양양하게 내가 키웠다고 해주겠어!

"좋아, 이 녀석들을 잡고 다음으로 가자! 코코루를 더욱 더 성장시키자!"

"좋았어~! 하자구! 우리 레벨도 오르니까~♪"

레벨업을 좋아하는 야노도 기분이 좋아 보였다.

"그럼 난 갔다 온다 꼬꼬~!"

"그래, 부탁해!"

골든 버니를 상대할 때는 코코루가 딱 좋은 미끼가 되어 준다.

저 녀석들은 원래 플레이어가 다가가면 도망치지만, 『벼룩의 심장』을 가져서 상대에게 절대 대미지를 줄 수 없는 코코루가 상대라면 발차기를 날리러 오기 때문이다.

약한 녀석에게는 강하게 나온다는, 만약 인간이었다면 인격에 문제가 있는 사고 루틴을 가졌다.

보에에에에에에! 보에에에에! 보에에에에!

코코루가 뚜벅뚜벅 걸어서 다가가자, 반응한 녀석들이 일제히 코코루에게 대시&앞발차기를 날렸다.

"아프다 꼬꼬~! 다들 지금이다 꼬꼬~!"

"좋아, 나이스야!"

"어느 의미로는 이것도 특수 능력이네요~."

아카바네가 어이없다는 듯이 중얼거렸다.

어찌 됐든, 골든 버니 축제의 시작이다!

자, 우리의 레벨업도 골든 버니 축제가 벌어지는 등 이런 저런 일들 덕분에 레벨업 자체는 이미 문제가 없을 것 같다.

그런 가운데, 오늘은 길드 대항 미션 최종 배틀 설명회다.

장소는 저번 드래프트 회의와 마찬가지로, 왕궁 안 예배 당이다.

각 길드 영웅 후보를 데려오라고 해서, 코코루도 함께다.

나와 아키라와 코코루 세 명이다.

코코루의 현재 레벨은 66. 셀피는 70이므로 아직 따라가 진 못했다.

그렇지만 같이 올린다면 조만간 초월할 것이 틀림없다.

왜냐하면 이쪽은 프린세스 스컬 링으로 3배속 레벨 업이 니까.

"흐~음…… 그래그래. 레벨로는 다른 곳에 뒤지지 않네."

설명회장으로 가면서 다른 길드 NPC의 레벨 표시를 봤 는데, 레벨 60에 도달한 NPC도 꽤 적다.

지금은 셀피의 레벨 70이 최대치인가.

그 아이는 원래 드래프트 시점에서 62였으니까.

모든 NPC 중에서도 초기 레벨은 최고였다.

그런 유능한 아이를 저렇게 만들다니, 유감이라고밖에 할 수 없다.

아무리 골든 루키라도 어느 구단에 가느냐에 따라 썩어버리기도 하니까.

"코코루, 할 수 있어! 이길 수 있겠어!"

"아니~ 내 레벨은 종이호랑이다 꼬꼬~. 이길 가망이 안 보인다 꼬꼬."

"괜찮아. 『골든 옐로 스위츠』는 레벨만 있으면 기능해. 너는 자신만만하게 나서지 않으면 안 된다고. 지금까지의 나와는 다르다! 그런 느낌으로? 허세가 중요해."

"꼬꼬~? 그런가 꼬꼬?"

"그래. 이기기 위해서는 필요해! 빅 마우스로 가자고. 시합 전까지 언동도 고쳐야겠네."

"뭐, 일단 렌의 말대로 해보는 게 좋을 것 같은데? 아마 책임은 질 테니까. 그치?"

"그럼, 맡겨두라고! 오늘은 최종 배틀로얄의 사양도 알 수 있을 테니, 레벨업과 병행해서 시합 대책도 슬슬 시작해야겠지."

대화를 나누면서 걷는 우리의 진행 방향에 조인종^{버드맨} 몇 명이 모여서 이야기를 나누는 게 보였다.

그중에는 조인종의 리더 같은 존재인 쿠자타 씨도 있다.

쿠자타 씨는 카타오카가 있는 널리지 레이크로 갔으니까.

레벨은— 68이 되었네. 원래 55였으니까 꽤 많이 올렸다.

"여어, 쿠자타 씨! 그쪽도 순조로워 보이네!"

내가 말을 걸자 쿠자타 씨는 나를 돌아보며— 놀라서 눈을 크게 떴다.

"아니! 코코루의 레벨이 65라고……?!"

다른 조인종들은 코코루보다 레벨이 낮다.

현재 시점에서 코코루는 조인종 중에서 두 번째로 레벨이 높은 것이다.

그리고 시합 때가 되면, 레벨만큼은 제일 높아지겠지.

"말도 안 돼……! 그 겁쟁이 코코루가—."

"믿을 수 없어. 우리보다 레벨이 높다고……!"

코코루를 괴롭히던 녀석들은 어안이 벙벙해졌다.

그걸 보고 가장 의기양양해진 것은 코코루도 나도 아니라 아키라였다.

"훗훗훗……! 이제 너희들로는 코코루한테 못 이기거든! 전처럼 코코루를 괴롭히려고 해봤자 반대로 당하겠지!"

척! 하고 삿대질을 했다.

저번에 봤을 때 화내고 있었으니까…….

뭐, 아키라의 이런 점은 장점이지.

"뭣이……!"

"코코루 주제에—!"

번뜩이며 노려보자, 코코루는 내 뒤에 숨고 말았다.

"괜찮아. 겁먹지 않아도 너는 성장했어."

레벨로는 말이지! 스테이터스는 몰라!

그렇지만 스킬이 있으니까 전투 능력은 확실히 있다.

그러니 겁먹지 말고 「나는 지금까지의 내가 아닌, 슈퍼 코코루다 꼬꼬!」 정도는 말해줬으면 좋겠다.

좋아, 시합 때는 말하게 하자.

그걸로 겁먹게 만들어서 저쪽에서 손대기 어렵게 하는 거다.

솔직히 코코루 본체는 약하니까~.

공격은 스킬로 아군을 소환해서 하고, 본체에게 손대기 힘든 분위기를 만들어야지.

다행히 스테이터스는 겉으로 보이지 않으니까, 누가 노리지만 않는다면 괜찮다.

배틀로얄이라고 하니까, 허세를 잘 섞어서 본체가 표적이 되는 리스크를 최소한으로 줄이고 행동해야 한다.

"그만둬라. 싸우고 싶다면 시합 때 싸우면 된다."

쿠자타 씨가 다른 조인종들을 막았다.

그리고 코코루에게 시선을 보냈다.

"용케 레벨을 거기까지 올렸구나―. 대단한 성장 속도군. 놀랐다."

"꼬꼬~ 나는 아무것도 하지 않았다 꼬꼬. 렌 일행 덕분이다 꼬꼬~."

진짜로 레벨업 때는 기본적으로 보기만 하니까 곤란하다.

뭐, 아카바네 쪽에 손패를 드러낼 수는 없으니까 그래도 상관없지만.

코코루의 경우는 길드 숍을 운영하면서 자금을 벌어주기도 하니까.

그걸로 충분하고도 남을 만큼 일해주고 있다.

"후훗. 시합에서 싸울 때가 기대되는군. 나도 방심할 수 없겠어. 그때까지 실력을 더욱 갈고닦아둬라."

"꼬꼬~. 나한테 갈고닦을 실력 같은 게 있을까 꼬꼬……."

뭐, 코코루의 스타일은 기본적으로 타인의 힘을 빌리는 거니까.

코코루가 이기려면 그것밖에 없을 거다. 솔직히.

"자자, 서로 즐기자고. 잘 부탁해. 쿠자타 씨."

"그래. 코코루를 이 정도까지 육성해준 것, 같은 조인종으로서 감사를 표하마."

"시합은 조금 더 남았잖아? 그때쯤이면 코코루는 쿠자타 씨도 넘어선 레벨이 될 거라고."

"기대하도록 하지. 코코루는 그쪽이 맡아준 게 성공적이었던 모양이야."

"뭐, 성공인지 아닌지는 최종 배틀 결과에 달렸지."

"그래."

우리는 이야기를 접고 회장인 예배당으로 들어갔다.

긴 의자에 긴 책상이 늘어선 곳.

또 논밭에 뚫린 미스터리 서클처럼 사람의 구멍이 생겨있었다.

이번에 중심이 된 것은, 철가면에 팬티 한 장만 걸친 변태에다 핑크색 철가면을 쓴 귀여워 보이는 아이다.

그 광경을 본 이들은 다들 이렇게 생각했겠지.

어째서 이렇게 되었나! 라고—.

우리는 당황하지 않고, 구석 자리에 있는 유키노 선배와 호무라 선배 근처 자리에 앉았다.

그러자 바로 유키노 선배가 말을 걸었다.

"여어, 렌, 아키라! 보아하니 순조로워 보이는데. 너희가 레벨업의 폭은 제일 크지 않을까? 역시 대단한데!"

코코루의 레벨을 본 유키노 선배가 칭찬했다.

선배는 모른다. 코코루는 레벨이 올라도 VIT와 HP 말고는 성장하지 않는다는 사실을……

프린세스 스컬 링의 효과로 성장률도 1/3이 된 코코루는, 레벨이 오를 때마다 VIT가 1, 그에 연동해서 HP가 올라갈 뿐이다.

다른 건 전부 성장률이 3 미만이니까…… 1 미만의 성장률이라면 레벨 업해도 성장하지 않는 사양인 모양이다.

"안녕하세요, 유키노 선배. 뭐, 꽤 애쓰고 있어서요."

대답하다가 문득 떠올라서, 코코루와 같은 레벨 1이었던 알프레드의 모습을 찾아봤다.

―오, 앞쪽에 있었다. 레벨 53인가. 저쪽도 꽤 올렸네.

코코루와 달리 그는 대기만성의 화신 같은 스펙이니까~.

정통파 용사 타입이라고나 할까. 지금쯤 얼마나 강해졌을지 흥미가 있다.

참고로 유키노 선배 쪽 NPC는 드래프트에서도 인기였던 수인 미코토 코플이었다.

원래부터 레벨 58이고 보유 스킬도 많았다. 아마 전사계 중에서는 제일 인기 후보였을 거다.

드래프트에서도 아카바네 쪽 셀피와 함께 최고 인기를 양분했었지.

지금의 레벨은― 오오, 73! 모든 NPC 중에서 제일 높잖아. 우승 후보네.

반면 호무라 선배 쪽은 초기 레벨 7인가 8 정도의 아저씨 상인 캐릭터 브루노 씨다.

뭐, 솔직히 추첨에서 패배한 감을 불식할 수 없다.

현재 레벨은 그래도 42까지 올랐다.

"너희들. 사냥터는 방해 공작으로 뭉개졌는데도 용케 올렸네. 프라이빗 던전은 없잖아?"

호무라 선배가 물었다.

"네. 『하늘의 균열』에서 올렸죠."

"아아. 그래도 프라이빗 던전이 없는 길드가 쇄도해서 입구 쟁탈전이 심하다고 들었는데?"

"그건 좋은 비공정과 좋은 실력이 합쳐져서 마음껏 들어갈 수 있어서요."

"흐~응. 성실하게 노력하고 있구나."

"뭔가 불만이라도?"

"엄청 많지! 온 세상의 사냥터가 황폐해져서 레어 몬스터 사냥에도 지장이 있단 말이야! 이래서는 아이템 수집이 진행되지 않는다고! 이런 이벤트는 아무래도 좋으니까 빨리 끝났으면 좋겠어."

"흥. 패배자의 넋두리군. 너는 이길 수 없을 것 같으니까 토라진 것 아니냐. 옛날부터 너는 그런 녀석이었지."

"뭐어?! 처음에 조금 좋은 NPC 뽑았다고 건방 떨지 말라고! 이런 건 운으로 결과가 정해질 뿐이잖아. 좋은 걸 뽑으면 이긴다, 그것뿐! 그것도 모르면서 건방이나 떨다니, 역시 근육뇌 녀석들은 생각이 얄팍하다니까!"

"그렇게 생각하는 건 네 뇌가 스펙 부족이기 때문이겠지! 렌을 봐라. 아무리 생각해도 최약인 닭으로 승부를 볼 수 있을 것 같잖나!"

"아니 뭐, 해보지 않으면 모르니까요."

내가 그렇게 말하자 유키노 선배는 씨익 웃었다.

"후훗. 자신만만해 보이는군. 역시 노리는 거겠지? 우승."

"물론! 저희가 이기면 이건 그야말로 자이언트 킬링이니까요! 노리지 않을 수는 없죠!"

"그럼, 먼저 유키노네를 날려버리라고. 기대하고 있을게. 해준다면 『매의 극광석』을 줄 수도 있어."

"오오……."

"너는 매수냐, 이 아이템충이!"

"시끄러워, 근육뇌! 나는 이번에는 운이 없었으니까, 두뇌로 싸우려고 할 뿐이야!"

선배들은 변함없네.

뭐, 이 사람들은 이게 일상 대화 같은 셈이니까, 딱히 막지는 않겠지만.

"여러분, 바쁘신 와중에 찾아와 주셔서 감사합니다."

아, 나왔다. 리엘리즈 공주다!

이 공주님, 오늘은 뭐가 튀어나올까…… 그것만 신경 쓰여서 미소녀인데도 미소녀처럼 보이지 않는단 말이지.

뭐, 아키라로 익숙해진 걸지도 모른다.

이렇게나 하이 퀄리티 미소녀와 언제나 함께 있으면, 다른 아이를 봐도 그렇게까지 굉장해 보이지 않는단 말이지.

옆자리의 아키라를 힐끔 바라보자, 눈이 마주치면서 방긋 미소가 날아왔다.

아, 평소처럼 귀엽네—.

"왜 그래? 얼굴이 좀 빨간데~?"

자주 당하는, 뺨을 콕콕 찌르는 동작이다.

"그만두라고!"

그때, 리엘리즈 공주는 우리 플레이어 집단 한가운데를 보더니 어리둥절하며 고개를 갸웃했다.

그 시선 너머에는, 저번과 마찬가지로 논밭에 생긴 미스터리 서클 같은 구멍이 있었는데, 그곳에 앉아있는 철가면이 두 명이 되어있었다.

"어머, 영문을 모르겠네요. 이번에는 두 명으로 늘어서 아베크가 되어버렸는데, 혹시 그게 나우적인 건가요?"

"물론!"

"바로 그거에요!"

오라버니와 셀피가 벌떡 일어나서 힘차게 답했다.

아~ 아카바네가 이 자리에 없는 이유를 뼈저리게 알겠어⋯⋯.

"뭐, 그러면 저도 해볼까요—."

"안 됩니다. 공주님! 그만두세요!"

응, 아니타 씨가 제지했다. 다행이군 다행이야.

리엘리즈 공주라면 할 것 같아서 무서우니까.

"그럼그럼, 길드 대항 미션 최종 배틀에 대해 설명해드릴 테니, 입에는 자크를 채워주세요~."

조용히 들으라는 거겠지? 그렇겠지?

"그럼⋯⋯ 지금까지 여러분은 각각의 영웅 후보를 육성해주셨지요. 정말로 감사 감격의 폭풍이네요. 그럼 길드 대항 미션의 마무리로— 다음 주말, 각 영웅 후보를 포함한 배틀로얄을 개최하도록 하겠어요. 다들 와아~ 하고 축제 기분으로 즐겨요!"

그래, 이건 나카다 선생님의 사전 정보대로다.

그렇지만 구체적으로 어떤 룰인지…….

"배틀로얄이라고 해도, 어떤 건지는 아직 모르시겠죠? 구체적인 룰을 설명하자면— 아니타."

"네, 공주님."

아니타 씨가 리엘리즈 공주에게 뭔가 건넸다.

손으로 드는 보드 같은데. TV 같은 데서 사용하는 플립 같은 건가.

"그럼— 자!"

공주가 이쪽으로 플립을 들자 그곳에는 이미지 일러스트가 있었다.

무수한 비공정이 떠 있는 하늘이 그려진 그림이다.

음—? 다시 말해 이건……?

"네, 함대전이네요!"

오호라—! 과연, 재미있을지도 모르겠네! 함대전은 해본 적이 없으니까!

각 길드 대표도 나와 마찬가지로 흥미로워하는 반응이었다.

"티르나 근해에 광역 결계를 치고, 배틀 필드를 형성해서 각 길드가 참가하는 함대전을 진행하겠어요! 각 길드에 비공정을 빌려드리겠지만, 자신들이 소유한 비공정을 가져오

셔도 상관없어요. 어느 쪽을 쓰든 자유지만, 각 길드의 비공정은 한 척뿐이에요."

그렇군 그렇군―.

그럼 우리는 유리하네! 마개조 피치 선더호를 쓸 수 있으니까.

그 귀신 같은 기동성으로 전장을 휘저어주겠어⋯⋯!

단, 공격적인 파츠는 하나도 안 달았으니까, 그걸 어떻게 할지가 문제네.

뭐, 아무튼 즐거울 것 같다.

"코토미가 기뻐할 것 같네."

"그래. 재미있어 보여."

나와 아키라는 그런 대화를 나눴다.

"비공정 제조 기술은 부유도시 티르나에만 있으니까 꼬꼬. 이런 걸 할 수 있는 것도 여기뿐이라고 생각한다 꼬꼬~."

그렇군. 여기서밖에 할 수 없는 일을― 그런 면도 있나.

"또한, 배틀 필드에 배치 가능한 각 길드의 전력은 NPC를 포함한 여섯 명까지. NPC를 제외한 멤버의 도중 교체는 무제한에 임의로 가능해요. 그리고, 배틀 필드 안에서는 레벨 제한이 걸려요. 제한은 각 길드 영웅 후보의 레벨까지가 되죠."

아앗! 그렇군 그렇군― 그렇겠지. 그러지 않으면 유키노 선배나 호무라 선배가 풀 스펙으로 배틀에 참가할 테니 아무리 그래도 승산이 없어.

NPC의 레벨까지 제한이 걸린다면, 지금까지의 육성 결과가 드러나는 셈이다.

"또한, 승패는 각 길드의 격추 스코어로 경쟁해요. 각 길드 플레이어의 격파는 1포인트, NPC의 격파는 5포인트로 가산돼요. 격파된 경우 무제한으로 부활할 수 있지만, 동시에 포인트가 감산되죠. 제한 시간인 60분 경과 후, 포인트 상위 네 길드가 결승전에 진출하게 돼요. 결승은 전용 투기장에서 진행하겠지만, 세세한 룰은 결승 진출 길드끼리 상의해서 정하게 될 거예요."

—흠흠. 격파 스코어 승부인가.

결승 룰은 그 자리에서 정해지는 것 같으니까, 이건 깊이 생각해도 어쩔 수 없나.

아무튼 결승까지 남는 게 최우선이다.

"그리고 마지막까지 살아남는 우승 길드에 드리는 상품은 이쪽!"

리엘리즈 공주는 두웅! 하고 다른 플립을 꺼냈다.

거기에는 상품의 내역이—

1 : 길드 전용 인공 부유섬^{라군} 양도

2 : 길드 전용 기프트『투신의 숨결』

3 : 모든 아이템 중에서 임의의 아이템을 세 개 증정

4 : 모든 길드 멤버의 레벨+20

오호라—! 인공 부유섬을 얻을 기회가 왔나!

길드 전용 기프트라는 건, 길드 멤버 전원에게 효과가 발동한다는 거겠지.

『투신의 숨결』이 탤런트칸을 차지하지 않고 전원에게 걸리다니, 이것도 상당히 강력하다.

『투신의 숨결』 자체도 많은 플레이어가 탤런트칸에 넣는 탤런트니까.

그게 칸을 소모하지 않는다는 건, 원래 사용하던 칸을 다른 것으로 바꿀 수 있다는 뜻.

탤런트 슬롯 수가 유사하게 하나 늘어난다고 생각해도 좋은 효과다.

임의의 아이템 세 개도 엄청 강한 무기나 방어구를 받을 수 있으니 꽤 크다.

뭣하면 스카이 폴을 또 하나 얻는 것도 괜찮겠다.

레벨+20이라는 것도, 고레벨에게는 막대한 필요 경험치를 벌 수고를 덜 테니까 좋을지도 모른다.

뭐, 우리 같은 1학년이 아니라 3학년 고레벨 플레이어용이지만.

"후후후……! 괜찮네, 말이 통하는데! 아이템 세 개로는 부족하긴 하지만!"

가장 좋아하는 건 호무라 선배인 것 같다.

"흥. 너희에게는 무리다. 포기해라!"

"글쎄다아? 싸움은 배틀 필드에서만 하는 게 아니거든."

그리고 리엘리즈 공주가 말을 이었다.

"그리고 인도인도 깜짝 놀랄 새로운 기획! 그건— 자, 들어오세요. 선생님!"

공주가 손짓을 하자, 어느새 나카다 선생님이 있었다.

으응? 선생님이 오다니 웬일이지?

"자자~! 1-E 담당인 나카다입니다~. 이번 배틀로얄의 중계를 맡게 되었는데, 그것과는 별도로 이건 학교 측에서의 공지사항입니다만— 이번 최종 배틀로얄에서는 새로운 시스템의 시운전도 겸하도록 하겠습니다. 문제가 없다면, 향후 본격적으로 도입할 예정입니다."

새로운 시스템이라고? 그게 뭐지—

"어떤 시스템이냐고요? 그건 바로— 보호자 참관 시스템입니다! 보호자 분들도 로그인해서 배틀로얄을 보시게 됩니다!"

보호자 참관 시스템이라고—?!

그러고 보니 여기는 학교였지⋯⋯. 이런 것도 가능하긴 한가.

뭐, 우리 부모님은 기뻐하며 보러 올 것 같다.

아버지는 게임 회사 사람이라서 우리 학교 게임에 한 몫 거들고 있기도 하니까.

"보, 보호자 참관⋯⋯! 그런⋯⋯!"

아키라의 얼굴이 조금 파래졌다.

◆◇◆

설명회가 끝나자, 우리는 길드 하우스로 돌아왔다.

그리고, 마에다나 야노에게 최종 배틀 로얄의 개요를 전달했다.

"오오~ 보호자 참관에 함대전이라구? 이 학교답네. 그래도 굳이 따지면 부모님보다 형제자매가 보고 싶어 하던데—."

"부를 수 있는지 물어보지 그래? 하지만 함대전이라면 실력을 보여줄 수 있겠네! 피치 선더호도 가져갈 수 있는 거지?"

"응, 그렇게 말했어. 우리에게는 유리한 셈이지. 비공정도 마개조해둔 이상, 배틀 필드의 레벨 제한은 코코루 기준이니까. 레벨만이라면 당일에 틀림없이 코코루가 톱이 될 거야."

코코루의 스킬 준비와 함대전 시뮬레이션은 해두고 싶기는 하다.

특히 함대전은 미경험이니까.

"전혀 유리하지 않아!"

아키라가 목소리를 높였다.

보호자 참관이라는 말이 나오고 나서 아키라는 뭔가 무서워하는 모습이었다.

"왜 그래? 재미있어 보이잖아? 운동회 같은 셈이라고."

"그게 아니야. 문제는 보호자 참관이라고……! 전부터 말했지만 우리 집, 엄청 딱딱하니까— 이런 장비로 있는 모습을 보게 되면, 자칫하면 학교를 그만두게 될지도 몰라……!"

아, 소드 댄서 장비인가—.

나는 이제 익숙해져서 이게 평범하게 보이지만, 확실히 노출도가 높다.

장비의 전반적인 노출도 탓에 고르는 플레이어가 별로 없는 불운한 직업이다.

아키라 자신도 익숙해졌는지 점점 부끄러움도 줄어들어서, 최근에는 소드 댄서 장비 그대로 수업을 받기도 하는지라 나도 별로 의식하지 않게 되었지만, 확실히 엄격한 가문의 아가씨가 이런 차림을 가문 사람이 보면 충격을 받을지도 모른다.

스커트는 짧고 겨드랑이도 보이고 가슴도 트였으니까.

다시금 보니 좋구나. 응.

하지만 보호자 참관이 있는 이상, 이런 말을 하고 있을 수만은 없나—.

평소 복장이든, 『엔젤 참』이든 노출도가 높은 건 똑같으니까.

"그럼, 평범한 교복 장비를 할 수밖에 없나—."

그거라면 뭐, 평범한 차림새니까.

"하지만 그럼 약하잖아……. 모처럼 배틀로얄을 하는데 제약 플레이가 돼버려."

"뭐, 레벨 1 장비니까. 그냥 겉보기용이고."

"저기, 제대로 된 장비 중에 노출도가 적은 건 없어?"

"으~음. 정보상이나 호무라 선배네 뮤지엄에 가서 조사해 보지 않으면 뭐라 말할 수가 없네."

최악의 경우는 다른 직업으로 잠깐 바꾸는 것도 가능하겠지만, 『전생의 날개』의 MEP는 800이다. 우리의 MEP는 이미 텅 비었으니까. 어쩔 방도가 없다.

"그렇단 말이지. 하아…… 우울해~."

"뭐, 우리도 이곳에서 급격하게 레벨을 올렸으니까. 장비를 갱신해야 하니 덤으로 찾아보면 돼. 찾지 못하면 교복이지. 그리고 『배니시 플립』으로 보이지 않게 돌아다니든가, 서클 마법으로 눈속임을 하든가—."

"응…… 그렇게 해야겠네."

"시합은 다음 주말이니까 앞으로 9일 남았는데— 한동안은 이대로 레벨업을 메인으로 진행하기로 하고, 병행해서 장비 갱신을 고려해야겠어. 코코루의 스킬 준비는 마지막의 마지막에 하자."

코코루의 스킬은 레벨업 도중에 최소 검증을 해봤다.

뭐, 평범한 몬스터라면 문제없이 동료로 삼을 수 있었다.

단, 하나하나에 돈이 들지만…….

그리고 불러낼 수 있는 몬스터의 스톡은 레벨 20당 1씩 늘어나서, 지금은 65니까 네 칸이다. 그리고 동시에 내보낼 수 있는 몬스터는 하나뿐.

동료로 삼을 수 있는 몬스터의 레벨은 코코루의 레벨까지이므로, 아슬아슬하게 레벨을 올려서 그 레벨에 가까운 몬스터를 마지막에 모으면 되겠지.

어디까지 레벨을 올릴 수 있을까─. 뭐, 100을 목표로 해서 가자.

"오늘은 이후 레벨업 예정 없지? 나, 오늘은 좀 일찍 쉴게? 왠지 지쳤어. 하아⋯⋯."

"그래, 알았어. 수고했어. 내일 보자."

"수고했어, 앗키~."

"잘 자. 아키라."

"아키라~ 기운 내라 꼬꼬~."

"응. 그럼 다들 잘 자."

아키라는 기운 없는 미소를 지으며 로그아웃했다.

으~음. 친가 일이 그렇게 신경 쓰이나─.

저 상태로는, 모처럼 열심히 준비했는데도 정작 시합이 오면 즐기지 못하겠는데⋯⋯.

여기는 베스트 프렌드인 내가 어떻게든 해줘야겠어!

"좋아. 그럼 난 잠시 호무라 선배네 뮤지엄에 갔다 올게."

내가 그런 말을 꺼내자, 바로 마에다와 야노가 반응했다.

"아키라의 장비를 찾는 거지? 그럼 나도 갈게."

"나도 갈래! 앗키를 위해서잖아!"

이어서 코코루도 반응했다.

"나도 간다 꼬꼬~! 아키라를 위해서다 꼬꼬!"

"뀨~뀨~! 류도~."

아아, 다들 다정하구나.

게임이건 뭐건 친구는 있고 봐야 한단 말이지.

"좋아. 그럼 가보자!"

우리는 길드 하우스를 나와 호무라 선배의 뮤지엄으로 향했다.

자, 찾아왔습니다. 호무라 선배의 그랑 뮤지엄^{전람 박물관}이 운영하는 아이템 박물관! 곤란해질 때는 여기 아니면 정보상이란 말이지!

그런고로 우리는 보호자 참관에서 소드 댄서 장비를 보이고 싶지 않은 아키라를 위한 장비를 물색해봤는데―.

"으~음…… 전부 비슷비슷하네."

"철저하네. 전부 다 노출도 무지 높아."

"뭐, 확실히 부모님이 보면 부끄럽겠네. 아마 우리 집이라도 혼날 거야."

이 아이템 박물관에서도 소드 댄서 장비는 예외 없이 살색 농도가 진했다.

이거, 평소 아키라가 입는 장비보다 살색 농도가 올라가면 올라갔지, 내려가지는 않네.

『엔젤 참』 같은 게 그나마 나은 편이다.

이것들은 왜 천 면적이 줄어드는데 성능은 올라가는 거야?

뭐, 게임 세계 특유의 비상식적인 요소겠지.

보통은 무척 기뻐할 일이겠지만, 이렇게 되면―.

"으~음. 안 되겠어. 진짜로 없네. 철저해."

제대로 된 성능을 가진 것 중에서 얌전한 방어구는 하나도 없다!

소드 댄서, 무시무시하구나! 개발자의 이질적인 집착이 느껴진다.

하지만 뭐, 이런 크리에이터 정신으로 넘쳐나는 특화된 모습은 싫지 않다!

여자들에게는 전혀 받아들여지지 않지만!

"렌~! 렌~! 이런 건 어떠냐 꼬꼬?"

그때, 소드 댄서용 방어구 코너에서 꽤 떨어진 곳에 있던 코코루가 나를 불렀다.

"뭐가 좋은 거 있었어? 코코루."

"이거다 꼬꼬. 『미믹 팬』이다 꼬꼬."

쇼케이스 안에 들어있는 것은, 깔끔한 은빛 철선(鐵扇)이었다.

이름이 미믹 팬인데, 팬은 부채를 뜻하는 팬이라고 쳐도 미믹 요소는?

평범한 부채로 보이는데―.

"미믹 느낌 제로잖아. 적어도 보물상자 같은 무늬는 있어야 하지 않아?"

야노도 나와 같은 생각인 모양이다.

이름 잘못 지은 거 아닌가? 제작자의 미스인가?

"미믹은 흉내나 의태한다는 뜻의 영어야. 보물상자인 척

하는 몬스터의 이름이 아니야.”

뭣이?! 몰랐어! 공부가 되네. 역시 마에다야.

“……이런 화제를 불러와서, 결과적으로 영단어를 하나 익히게 되는 걸 의도한 게 아닐까? 학교다운 좋은 이름의 아이템이네.”

“아~앙. 왠지 분하잖아! 그대로 당해버린 감이야! 부끄러워~!”

“아하하…… 괜찮아. 그래도 공부는 좀 더 노력해보자?”

“네~에.”

“……”

좋아, 나는 가만히 있자!

“괜찮다 꼬꼬. 유우나는 그림을 잘 그리니까, 조금 바보라도 살아갈 수 있다 꼬꼬~.”

“고마워 코코루~ 좋은 녀석이라니까.”

하하하. NPC한테 위로받았네.

아니, 하지만 코코루는 좋은 녀석이긴 하다.

길드 대항 미션이 끝나면 돌아갈 테니까. 그건 좀 쓸쓸하다.

“잠깐, 타카시로! 어차피 너도 몰랐던 주제에 무시했지!”

“노 코멘트! 자, 효과를 보자!”

“앗! 치사하잖아!”

야노의 항의를 무시한 나는 아이템 설명을 봤다.

부채라는 건 아이템 종류로는 무기에 속한다. 이도류도

가능한 한손 무기다.

다른 무기에 비해 특이한 점은— 이거 여성 전용 장비란 말이지.

그리고 특성은 타격력은 낮고, 가드 성능은 꽤 높다.

물론 방패에 비하면 가드 성능이 낮지만, 다른 한손 무기 보다는 훨씬 높다.

이도류의 서브 웨폰으로 쓴다면 약간 방어적으로 싸울 때 쓰일지도.

부채 아츠도 꽤 트리키한 것이 있는 모양이니까, 꽤 재미 있어 보인다.

그런 게 일반적인 부채의 스펙.

그리고 이『미믹 팬』에는 이런 특수효과가 있었다—.

『의태』하여 마지막으로 공격한 상대의 모습이 될 수 있다.
파티 멤버 및 NPC로도 『의태』 가능.
소비 AP : 50 효과 시간 : 600초

"으흐음……?!"

"그렇구나…… 이걸로 모습을 바꿀 수 있겠어!"

"이러면 그 에로한 모습도 안 보인다구!"

"맞다 꼬꼬~ 이거라면 아키라도 마음껏 싸울 수 있지 않 겠냐 꼬꼬?"

"장비 가능 레벨도 55고, 괜찮을 것 같네—!"

우리의 레벨도 이미 55는 넘겼다.

이건 입수하기만 한다면 바로 써먹을 수 있다.

나머지 신경 쓰이는 점은, 『의태』한 뒤에 장비를 변경하면 과연 원래대로 돌아가는가 정도인가.

교복으로 배틀 개시 ⇒ 『의태』 ⇒ (성능적인 의미로)평범한 소드 댄서 장비로 바꿨을 때 『의태』가 풀린다면 슬플 테니까.

아니, 만약 풀린다 해도 전투 개시 때만 서클 마법으로 눈을 가리고, 소드 댄서 장비로 바꿔 입은 뒤에 『의태』하면 되나.

"좋았어. 그럼 이것의 입수처를—."

조사하러 정보상으로 가보려고 할 때 마침 호무라 선배가 찾아왔다.

"너희들 왜 그래? 이거에 흥미 있어?"

"오오, 마침 좋을 때! 선배, 이 『미믹 팬』은 어떻게 얻는 거죠?"

"이거? 갖고 싶어?"

"네!"

나는 고개를 끄덕였다.

"그럼 좋은 입수법이 있어. 이거라면 한 방이지."

호무라 선배가 씨익 웃었다.

"오? 뭔가요?"

"나한테 산다— 이거면 어때? 이거 EX 속성이 아니니까 아직 여분이 몇 개 있거든."

"진짭니까……!"

아이템의 속성. O는 동시에 하나밖에 들 수 없고, EX는 남에게 양도할 수 없다.

내가 쓰는 암기계는 전부 O이면서 EX라서, 내가 합성하는 게 필수인 귀찮은 물건이다.

O가 붙어있는 탓에 다수 소지할 수 없으니까.

뭐, 다수 소지가 가능해봤자 암기 아츠는 기본적으로 한 전투에 한 번이라는 제약이 있는 탓에 다수를 갖고 있을 의미는 별로 없지만.

아, 그래도 다수 소지가 가능하면 일일이 『파이널 스트라이크』로 부수지 않아도 새로 합성하면 암기 아츠를 한 번 더 쓸 수 있겠네. 이건 이것대로 경제적일지도.

그래도 『파이널 스트라이크』가 없으면 대미지가 안 나오니까, 일격 폭딜을 노리는 로망포로서는 어차피 쓸 수 없다.

돈 따위는 얼마든지 내던져도 좋으니까, 순간적으로 폭딜을 때려 박는 거다!

폭딜은 정의!

"물론 공짜는 아니거든? 대신 최종 배틀 때 손을 잡는 게 어때?"

"과연, 동맹인가요."

뭐, 모든 길드가 참가하는 함대전이니까, 협력 체제를 취할 길드도 나올 거다.

그렇게 탄탄한 게 아니더라도, 서로 충돌하지 않는다는 약속을 하는 것도 일종의 동맹이겠지.

딱히 그걸 금지하는 룰은 없다. 금지하라고 해도 어려운 이야기다.

"그런 셈이지. 서로 충돌하지 않는다. 도울 수 있는 범위에서 상대를 돕는 정도."

"과연……."

뭐, 그럼 이쪽의 움직임도 크게 제한될 일은 없나.

"그리고, 누군가가 우승했을 경우의 상품은 서로 아이템을 세 개 받을 수 있는 권리를 고를 것. 이긴 쪽이 그중 두 개를 얻고, 패한 쪽에 하나를 넘긴다— 어때?"

"으음……."

이건, 글쎄다.

호무라 선배는 보험을 걸어두고 싶겠지.

우리가 이기더라도 아이템 하나는 입수하는 셈이니까.

이런 말을 하는 걸 보면, 반드시 자기들이 이길 거라는 자신감이 있는 건 아니라는 뜻이다.

자신감이 있다면 세 개를 다 얻는 걸 노릴 테니까.

그리고 반대로 말하면, 호무라 선배는 우리가 우승할 수도 있다고 보고 있는 것 같다.

그게 아니라면 이런 조건을 붙일 의미가 없다.

일부러 『미믹 팬』을 주면서까지 동맹을 하고 싶다는 뜻이니까.

하지만 우승 상품은 아이템 말고도 선택지가 있다.

그중에서는 인공 부유섬을 받을 수도 있단 말이지.

솔직히 우리가 이기면 인공 부유섬을 고르려고 했을 텐데.

애초에 인공 부유섬을 위해서 모두 함께 길드를 만들자고 했었으니까…….

그걸 우회하는 건 좀 걸리는데.

"저기, 참고로 평범하게 이걸 얻으려면 어떻게 해야 하죠?"

"크리스털 포레스트에 나오는 레어 몬스터 크리스털 팔콘 로드를 쓰러뜨리면 나오는 전리품이야. 참고로 레벨 150 정도야. 드롭률도 몇 퍼센트 정도."

150이나 되나— 게다가, 확실히 크리스털 포레스트에 들어가는 조건은 까다롭다고 카타오카한테서 들었다. 들어가는 허가를 받는 퀘스트 같은 게 이것저것 있었다.

그걸 바로 하기는 어렵다. 레벨 150의 레어 몬스터를 잡을 수 있다는 보장도 없다.

애초에 현재, 온 세상의 사냥터가 방해 공작으로 뭉개졌으니까.

"아니면, 평범하게 돈 내고 사든가— 뭐, 이거 꽤 레어니까 비싸. 정가는 500만 미라 정도일걸."

"으음—!"

비싸네! 코코루 덕분에 길드 숍은 순조롭게 이익을 거두고 있지만, 500만 미라나 모이지는 않았다.

게다가 우리나 코코루의 레벨도 최근 급속도로 오르고 있어서, 최종 배틀 전에는 장비를 모두 교체해야만 한다. 그걸 위한 자금이 필요하니까…….

"다들 어떻게 생각해?"

나는 일행들에게 의견을 구했다.

"그걸로 앗키가 즐거워진다면, 괜찮지 않아? 시합 전까지 준비하기는 힘들 것 같구."

"하지만 그게, 이겼을 때의 경품은 다들 인공 부유섬을 원했을 것 같은데."

"인공 부유섬은 갖고 싶지만, 그것 때문에 즐기지 못하면 본말전도야. 그러니 인공 부유섬은 나중에 얻고, 아키라에게 『미믹 팬』을 가져다주자."

"나도 그게 좋다고 생각한다 꼬꼬~. 너희는 즐겁게 하는 게 최고라고 생각한다 꼬꼬."

"그래. 그럼 그렇게 할까. 다들 고마워!"

나도 아키라에게 이걸 가져다주고 싶었으니까!

역시 마이 베스트 프렌드가 즐겨주길 바란단 말이지.

아키라는 웃는 얼굴이 가장 귀여우니까, 응.

지켜주고 싶다. 이 미소. 그런 기분이다. 아마도!

"그럼 동맹을 맺을까요. 호무라 선배!"

"오케이! 그럼 잘 부탁해. 너희에게는 기대하고 있으니까!"

이렇게 완전히 물건에 낚여버린 우리는 호무라 선배네와 동맹을 맺기로 했다.

나머지는 아카바네 쪽과도 딱히 약속을 나누지는 않았지만, 동맹 같은 느낌이기는 하지.

함께 NPC의 레벨을 올렸으니까.

뭐, 시합 때는 굳이 서로 공격할 일은 없을 거다.

일단, 내일 아키라에게 이걸 넘겨주는 게 기대되는구만요!

다음 날 아침—.

"다들 안녕……."

학교 수업이 시작되기 30분쯤 전.

아키라는 길드 하우스에 로그인했다.

역시 어제와 별로 다르지 않은 모습이라, 조금 기운이 없다.

"안녕, 아키라. 역시 텐션이 낮은데?"

"어? 그, 그렇지 않거든?"

"거짓말 거짓말. 얼굴에 나와 있다구."

"그러게. 기운이 없어."

"으음…… 뭐, 그렇지. 역시 보호자 참관이—."

"그런, 소드 댄스의 과격한 장비에 곤란하신 당신!"

"아니…… 뭐 그렇지만, 애초에 렌이 하라고 해서—."

"그런 당신에게 낭보입니다!"

"응?"

"자. 이걸 써보시지요."

나는 아키라에게 『미믹 팬』을 건네줬다.

"어? 이거 뭐야? 부채네?"

"장비의 설명을 봐봐."

"……어어— 응? 『의태』? 앗! 이거라면 어쩌면……!"

"그래그래. 배틀로얄 때는 계속 누군가로 『의태』하고 있으면 소드 댄서 모습을 들키지 않을 수 있잖아?"

"와아~! 응응, 그러네! 이거라면 괜찮을지도!"

아키라의 얼굴이 활짝 빛났다. 평소의 미소가 돌아왔네.

"이거 내가 써도 괜찮아?"

"물론! 그걸 위해 찾아온 거니까."

"어디서 찾았어?"

"어제 그 후에, 모두 함께 호무라 선배네 아이템 박물관에 가서 찾아온 거야."

"모두 함께? 그렇구나—! 다들 고마워~!"

"신경 쓰지 말아줘. 그러는 편이 우리도 즐거우니까 그렇게 했을 뿐이야."

"응응. 앗키가 싱글벙글하지 않으면 우리가 더 꺼림칙하다구."

"맞다 꼬꼬~. 아키라는 웃고 있는 게 최고다 꼬꼬! 렌, 그렇지 꼬꼬?"

"그래. 완전히 동의."

"후후후! 좋~아. 그럼 바로 시험해보러 가자! 시험해보러!"

"지금부터? 이제 수업 시작할 텐데."

"괜찮아 괜찮아! 조금만 하면 되니까! 자, 가자!"

그런고로, 여느 때처럼 트리니스티 섬 1층으로 이동했다.

여기는 다른 길드의 방해 공작에서도 누락된 곳이라, 오늘도 여전히 아일랜드 버니 사부가 무리를 이뤄서 멍하니 있었다.

"좋아! 바로 시험 베기 간다~!"

말하기가 무섭게 아키라가 근처에 있던 아일랜드 버니에게 달려가 『미믹 팬』으로 공격했다.

찰싹! 소리가 나며 아일랜드 버니가 바닥에 뻗었다.

보에에에?!

몇 번이나 들었던 비명이다. 당연히 레벨차가 엄청나서 일격필살이다.

"좋아― 『의태』!"

그리고 『의태』를 발동했다. 분류상으로는 무기 전용 아츠다.

펑! 하는 가벼운 효과음이 나며 아키라의 몸이 하얀 연기에 휩싸였다.

안에서 나타난 것은—『스카이 폴』과 『미믹 팬』을 이도류로 든 아일랜드 버니였다.

무기 그래픽은 그대로 남는 건가.

스테이터스를 카피하는 게 아니라, 어디까지나 외모를 카피하는 셈이다.

무기는 그대로 두지 않으면 공격 방법이 바뀌니까. 과연.

"오오~! 나, 왠지 폭신폭신한데!"

목소리도 아키라 그대로였다. 기쁜 듯이 뿅뿅 뛰었다.

"오~ 굉장하다 꼬꼬!"

"즐거워 보여!"

"그러게— 그거, 재미있네."

"저기, 아키라. 스테이터스가 떨어지지는 않았지?"

성능적인 면을 확인해둬야 하니까.

내가 묻자 아키라는 스테이터스 윈도우를 열어서 내용을 확인했다.

"응, 내려가지 않았어. 변한 건 외모뿐이네."

"그렇군 그렇군."

"저기저기, 코코루로 변신해봐도 돼?"

"괜찮다 꼬꼬."

아키라가 『미믹 팬』으로 코코루를 살짝 건드렸다.

이걸로 『의태』의 대상을 바꿀 수 있다.

"그럼 다음에는 코코루로!"

펑! 하고 이번에는 이도류 코코루가 나타났다.

"오오~ 정말로 똑 닮았다 꼬꼬~."

감탄하는 코코루 주변을 아키라 코코루가 폴짝폴짝 뛰어다녔다.

"아하하하! 왠지 조금 달리기 힘들지도~?"

코코루는 손발이 짧은 데다 몸도 동그라니까.

생각처럼 몸이 움직이지 않을지도 모른다. 아, 넘어졌다.

"『의태』 효과 중에 장비를 벗으면 어떻게 되지?"

효과가 끊기나? 그런 것도 봐둬야겠지.

"어떨까? 유우나, 들어줘."

"그래그래."

―오오. 아키라가 『미믹 팬』을 야노에게 건네줬는데도 효과가 끊어지지 않는다.

그렇군 그렇군. 발동하면 효과 시간 중에는 장비를 변경해도 그대로 이어지는구나.

"그럼 이 『의태』한 아키라로 다시 『의태』하면 어떻게 될까?"

"오케이! 시험해볼게!"

야노는 『스프린트』를 발동해서 아일랜드 버니 무리로 돌진했다.

그리고 『미믹 팬』으로 아일랜드 버니 사부들을 팍팍 쓰러뜨렸다.

AP를 모으기 위한 의식이다.

야노는 『투신의 숨결』이 없으니까.

적을 공격해서 필요한 AP를 모을 필요가 있다.

"나도 조금 흥미가 있어."

마에다는 떨어진 아일랜드 버니에 공격마법을 날렸다.

마에다의 경우, 탤런트인 『택티컬 매직』 덕분에 MP를 소비하면 AP를 모을 수 있다.

"그럼, 간다!"

돌아온 야노가 아키라 코코루에게 『미믹 팬』을 찰싹 때려서 『의태』를 발동했다.

펑! 그리고 나타난 것은— 익숙한 초절 미소녀의 모습이었다.

"아, 그건 아키라가 되는구나. 원래 사람을 카피하는 건가."

"우와~ 앗키가 되었어! 근데 계곡 굉장해! 가슴 커! 무겁다구!"

갸루처럼 말하는 아키라가 자기 가슴을 출렁출렁 들었다.

오오…… 이건 이것대로 뭔가 환상적인 풍경이로군요.

"자, 잠깐 그만해~! 유우나!"

아키라 코코루가 뺨을 붉혔다. 조금 혐오스러울지도 모른다.

"자, 코토미도 한번 앗키로 변신해보라구."

"뭐엇?! 나도?"

"거유 체험은 귀중하다구. 특히 코토미한테는."

뭐, 마에다는 슬렌더한 편이니까.

야노는 아키라와 마에다의 중간에서 조금 아키라 쪽에 쏠렸고.

"……뭐, 한 번 정도라면."

마에다도 다소 흥미는 있었는지 아키라로 변신했다.

그리고, 변신한 아키라의 몸을 바라보더니—.

"여, 역시! 아, 안 되겠어!"

"왜 그래, 코토미? 앗키 무겁지?"

"그, 그것보다 이런 숭숭 뚫려있는 옷, 부끄러워—!"

울상을 지으면서 몸을 가리고는 웅크렸다.

"아하하. 마음은 이해한다구, 나도 부끄럽거든. 타카시로 이쪽 보지 마!"

"그래, 보지 마. 타카시로!"

"아, 미안미안. 그래, 안의 사람이 아키라가 아니긴 하지."

"정말~ 다들 너무해! 나, 나한테도 수치심은 있다고오오오오!"

아, 아키라가 뾰로통해지며 화를 냈다.

동시에 『의태』가 풀려서 원래 아키라로 돌아와, 부끄러워하는 아키라 두 명에 화를 내는 아키라 한 명이 되었다.

이건 이것대로 꽤 대단한 광경이군.

"괜찮다니까! 어울리니까 나는 아무 문제도 없어!"

나는 아키라 본체를 위로해줬다. 딱히 거짓 없는 본심이다.

"……아니 뭐, 렌은 항상 그렇게 말해주지 않으면 싫긴 하

지만—."

"세간의 눈은『미믹 팬』으로 속일 수 있으면 된다고! 이걸로 만사 해결이야!"

"그런가……? 뭐, 다들 나를 위해 준비해준 거지? 그건 고마워."

"그래그래! 이걸로 보호자 참관 최종 배틀을 넘어서자!"

"그러게— 응, 알았어!"

자, 시합 전까지 아직 준비할 게 남았다.

그로부터 며칠 뒤―.

"자, 덤벼라 꼬꼬~!"

보에에에에에에! 보에에에에!

오늘도 여전히 골든 버니들이 코코루에게 무리 지어 앞발 차기를 날렸다.

"이야아아아아아앗!"

"바보들이네요!"

옆에서 모습을 드러낸 아키라와 아카바네가 베고 들어갔다.

그에 맞춰 떨어진 곳에서 야노가 총격을 개시.

마에다와 아카바네 쪽 NPC인 셀피가 코코루 쪽까지 골든 버니들을 몰아세우는 담당이다.

그런 시스템으로 모두가 레벨업에 전념하는 가운데―.

"좋~아좋아, 느낌 좋은데!"

나는 간이 대장간 툴 세트를 전개해서 합성에 힘쓰고 있었다!

길드 숍을 위한 상품 준비도 하고, 내 합성 스킬도 올리니

일석이조로군요.

최종 배틀용으로 모두의 장비를 만들어야 한다.

레벨이 급격하게 올라갔으니까, 장비를 전부 새로 맞출 기세로 해야지.

어차피 나는 이 사냥에서는 보고 있기만 해야 하니까, 시간은 유효 활용해야 합니다!

기본적으로 전투 중에는 합성할 수 없지만, 내가 전투 현장에서 충분히 거리를 두면 비전투 판정이 되어 합성이 가능해진다.

너무 멀어지면 이번에는 경험치가 들어오지 않는 판정이 되기에, 비전투 판정이면서 경험치는 들어오는 위치를 잡고 합성에 힘쓰는 것으로 경험치를 얻으면서 합성 스킬을 올린다는 위업을 실현하고 있다.

내 탤런트 『유동 작업』으로 전투 중 합성을 하면, 합성 스킬이 올라가는 판정이 사라지니까 의미가 없다.

딱 좋은 위치를 유지하면서 합성을 해야 하지만, 역시 코코루가 골든 버니에게 절대적인 미끼가 되어주는 점이 크다.

코코루 근처에 녀석들을 몰아넣으면 반드시 공격하러 오니까.

덕분에 나는 한 발짝도 움직이지 않고 합성할 수 있다.

슬슬 아키라의 『스카이 폴』을 강화할 수 있겠어.

"좋아, 다음은— 다마스쿠스 잉곳을 만들어서 저장해둘까!"

전에 사용하던 스틸 잉곳계보다 두 단계 높은 계통의 소재다.

잉곳의 근원이 되는 광석의 소재는 준비해놨다.

이것도 코코루가 반입해준 거다. 유능하네 유능해.

이 다마스쿠스 계통으로 모두의 무기, 방어구를 만들게 되겠지.

당연히 내 『지팡이칼』 안의 검도 다마스쿠스제인 『다마스쿠스 소드』가 된다.

점점 『데드 엔드』한 발당 날아가는 금액이 올라가고 있군요!

그렇게 혼자 합성에 힘쓰던 내 귓가에 들리는 레벨 업 소리.

오~ 레벨이 올랐네 올랐어!

놀랍게도 이제 레벨 71이 되었습니다!

그리고—.

"꼬꼬~! 또 올랐다 꼬꼬!"

"와~! 굉장해 코코루! 드디어 레벨 100!"

나와는 떨어진 곳에서 아키라나 코코루도 환성을 내질렀다.

좋아좋아. 여기까지 올렸다면 이제 레벨은 충분하겠어.

"렌~! 전부 쓰러뜨렸어~!"

"오—!"

우리는 『하늘의 균열』에서 탈출해서 피치 선더호 갑판으로 돌아왔다.

"후우— 오늘은 여기까지 할까요?"

아카바네가 말했다.

확실히 이제 시간은 강제 로그아웃 시간인 열 시에 가까웠다.

"아니— 오늘뿐만이 아니라 이걸로『하늘의 균열』에서 레벨업하는 건 끝이야. 이제 충분히 올랐으니까."

나는 이렇게 제안했다.

코코루의 레벨 100은 하나의 목표였다.

여기서부터는 준비에 전념하자.

"그만둘 거야? 그럼 이제는 장비 같은 걸 준비한다는 거?"

"그래. 이 이상은 레벨만 올려봤자 소용없으니까. 그보다도 코코루의 스킬도 준비해놔야지."

최종 배틀로얄에서의 대장 포지션인 코코루의 성능은 만전으로 해둬야 하니까! 즉,『골든 옐로 스위츠』에서 강한 녀석을 부를 수 있어야 한다.

그걸 위해서는『하늘의 균열』에서 골든 버니만 사냥할 수도 없지—.

기본적으로『하늘의 균열』에서 출현하는 적은 랜덤이니까, 딱 알맞은 적이 나오리라고는 할 수 없다. 골든 버니를 불러내봤자 배틀로얄에서는 도움이 안 되니까.

즉, 목표 대상이 확실하게 존재하는 일반 구역에서 스킬을 준비해야 하는데, 사냥터는 방해 공작으로 뭉개졌다.

그러나 내게는 이걸 타개하기 위한 복안이 있었다.

"그런고로, 골든 버니 축제를 여는 방법을 다른 길드에도 공개하려고 합니다."

『하늘의 균열』에 돌입하는 시간을 시간÷분=초로 한다는 그거다.

이게 출현 몬스터를 골든 버니로 확정하는 열쇠다.

""""에에에에엑?!""""

내 제안에 모두 놀라서 소리를 질렀다.

뭐, 모처럼 얻어낸 정보를 공짜로 뿌린다는 거니까.

"모처럼 얻어낸 정보잖아!"

"아깝지 않을까……?"

"맞아맞아. 여기까지 좁히는 데 MEP도 전부 썼고, 류의 스킬도 재미없는 걸로 해버렸는데—."

"괜찮아. 충분히 짭짤하게 벌어들였으니까. 어차피 언젠가는 다른 녀석이 눈치채거나, 법칙이 바뀌어서 통하지 않게 되는 정보잖아? 도움이 되는 사이에 마지막으로 도움이 되어줘야겠어. 이번에는 이 정보로 일반 사냥터를 비워버리자."

"……다시 말해서, 이게 다른 길드에 알려지면 모두 그리로 모인다는 거—?"

"그래. 방해 공작의 기세가 약해지겠지?"

나는 아키라의 질문에 수긍했다.

"다른 길드의 레벨 업 페이스를 보면, 골든 버니 축제가 경험치로는 훨씬 짭짤하니까. 이 정보에는 모두 달려들 거야. 조금이라도 레벨업을 하고 싶을 테니까. 호무라 선배 쪽에도 부탁해서 정보에 낚이는 모습을 보여달라고 하면 다들 뒤따르겠지. 선배 쪽도 대형이니까."

이제 최종 배틀로얄 직전이다.

지금부터는 사냥터를 뭉개는 방해 공작을 하지 않아도 하위 길드가 급격하게 레벨을 올려서 여태까지의 차이를 만회하기는 어렵다.

그러니 이제는 힘을 빼도 상관없다.

이 정보가 흐르면 일제히 그런 흐름으로 돌아갈 거다.

그 틈에 우리는 비어버린 사냥터에서 코코루의 최종 조정을 하는 거다.

"과연…… 역시 렌은 속이 새카맣네!"

"뭐, 칭찬이라고 생각할게!"

우리는 이걸로 됐다고 치고—

"저기, 아카바네도 상관없어?"

"상관없어요. 하지만 비어버린 사냥터에서 뭘 하는지는 보여줬으면 좋겠네요."

"알았어. 이쪽으로서도 힘을 빌릴 수 있으면 좋으니까."

그런고로, 우리의 골든 버니 축제는 이날로 종료.

호무라 선배의 힘도 빌려서 이 정보를 다른 길드에 퍼뜨리자, 순식간에 대형 길드도 『하늘의 균열』에 집결했다.

계획대로—! 였다.

자, 그럼. 최종 배틀로얄 이틀 전.

장비류 갱신도 대개 끝났고, 우리는 코코루의 최종 조정에 들어갔다.

레벨을 올릴 수 있을 만큼 올리고, 한계 근처의 몬스터를 아군으로 끌어들이는 게 좋으니까. 『골든 옐로 스위츠』는 레벨 의존이니 말이지.

그런고로 우리가 찾아온 곳은, 아우미슈르 대고분이다.

계획대로 방해꾼이 줄어든 덕분에, 평범하게 대고분 안으로 들어올 수 있었다.

그런 가운데, 우리는 예전과 마찬가지로 몬스터를 격퇴하며 내려갔다.

저번에는 저레벨 제약으로도 최하층까지 갔었으니, 레벨이 오른 우리에게는 이미 낙승. 원만하게 진행할 수 있었다.

참고로 우리의 레벨은 나 71, 아키라 72, 마에다 72, 야노 73이 되었다.

그리고 코코루는 관록의 100!

함께 온 아카바네는 74, NPC인 셀피는 81이다.

내 장비도 새로 맞춰서, 스테이터스도 포함한 지금은 이런 식이다.

■PAGE 1/3

【캐릭터 스테이터스】

직업: 문장술사

레벨: 71

HP: 2442/2442

MP: 771/771

AP: 0/300

근력
STR: 111
내구
VIT: 452
재주
DEX: 144
민첩
AGI: 202
지성
INT: 301
정신
MND: 255
매력
CHR: 210

탤런트 1: 암기술사

　　　〈효과〉 암기 계통의 무기를 장비할 수 있게 된다.

탤런트 2: 스킬 체인

　　　〈효과〉 스킬·아츠를 세 개까지 연결해서 오의를 만든다.

탤런트 3: 파이널 스트라이크

　　　〈효과〉 스킬 「파이널 스트라이크」를 습득.

탤런트 4: 유동 작업

　　　〈효과〉 합성 모션을 스킵해서 실행 가능. 단 HQ 효과 없음.

탤런트 5: 스킬 체인

　　　〈효과〉 스킬·아츠를 세 개까지 연결해서 오의를 만든다.

레벨 업 보너스
LUB: 0
메리트 포인트
MEP: 0

소지금: 334미라

【장비 일람】

메인 웨폰: 지팡이칼(OEX)

서브 웨폰: 없음

레인지 웨폰: 대롱 화살(OEX)

화살, 탄약: 수면 화살

머리: 다마스쿠스 서클릿

몸통: 다마스쿠스 로브

팔: 다마스쿠스 글러브

다리: 다마스쿠스 바지

발: 다마스쿠스 슈즈

액세서리 1: 이큅 링

액세서리 2: 러싱 링

LUB의 VIT 몰빵은 아직 진행 중.

여기까지 오게 되니 내가 생각해도 바보 같긴 하지만, 여기서 물러서면 진다.

나는 철저하게 특화될 거다! 고잉 마이 웨이!

탤런트는 평소의 로망포 사양이지만 『스킬 체인』은 두 개로 해놨다.

도중에는 합체마법용 『매직 인게이지』로 왔지만, 여기서는 이제 쓰지 않으니까 오의를 2종 등록할 수 있게 바꿨다.

소지금은 이제 별로 없다. 또 벌어야 한다.

새로운 장비를 준비하는데 돈을 거의 다 썼으니까.

그래도 내가 직접 만든 덕분에 가게에서 사는 것보다 비용은 싸다.

내 몫만이 아니라, 일행들의 새 장비도 직접 만들었다.

아키라의 스카이 폴도 두 번 강화해서 스카이 폴+3이 되었습니다.

그리고 지팡이칼의 구성 재료도 업그레이드해서, 바깥쪽 지팡이는 다마스쿠스 스틱에 안쪽 검은 다마스쿠스 소드다.

가드 성능을 중시할 경우는 광신자의 지팡이로 바꾼다.

다마스쿠스 스틱이 꽤 따라잡기는 했지만, 그 높은 가드 성능은 아직도 현역이다.

그러나 다마스쿠스 잉곳도 결코 싸지는 않다.

솔직히 오의 한 발당 드는 러닝 코스트가 점점 불어나고 있습니다!

이거 선배들이 암기를 쓰는 로망포 사양 문장술사를 포기한 이유도 이해가 가네.

류도 때때로 『오토 채집』으로 소재를 가져다주지만, 그걸로는 도저히 따라잡을 수 없다. 『매의 극광석』도 그때 이후로는 안 나왔으니까.

다마스쿠스 광석을 많이 얻을 수 있는 광산 같은 거 어디 없나?

이 길드 대항 미션이 끝나면 소재 찾기 여행에 나설까.

■PAGE 2/3

【마법 일람】

디스트라 서클(소비 MP 5~∞ 재사용시간 0/10초)

디바이트 서클(소비 MP 5~∞ 재사용시간 0/10초)

디덱스 서클(소비 MP 5~∞ 재사용시간 0/10초)

디어질 서클(소비 MP 5~∞ 재사용시간 0/10초)

디인테 서클(소비 MP 5~∞ 재사용시간 0/10초)

디마인 서클(소비 MP 5~∞ 재사용시간 0/10초)

디카리스 서클(소비 MP 5~∞ 재사용시간 0/10초)

【스킬 일람】

턴 오버(재사용시간 0/300초)

〈효과〉 현재 HP와 MP를 바꾼다. 문장술사 전용.

파이널 스트라이크(재사용시간 0/300초)

〈효과〉 다음 일격으로 무기가 소멸하지만 큰 대미지.

【아츠 일람】

차지 스펠(소비 AP 100)

〈효과〉 지팡이술. MP를 최대치의 20% 회복한다.

스팅 숏(소비 AP 50)

〈효과〉 지팡이술. 마력으로 지팡이를 조종해 떨어진
　　　　적에게 날린다. 1회 공격.

윈드밀(소비 AP 50)

〈효과〉지팡이술. 지팡이를 크게 휘둘러 퍼 올리면서 뛰어
　　　오른다. 1회 공격.

라운드 스태프(소비 AP 100)

〈효과〉지팡이술. 회전하는 지팡이가 자신 주변을 돌며
　　　몸을 지킨다. 랜덤으로 다단 공격.

폭염 태클(소비 AP 75, 소비 HP 최대치의 10%)

〈효과〉격투·몸통박치기술 화염을 두른 고속 태클.
　　　전방 범위 공격.

인간 나뭇잎 떨구기(소비 AP 100)

〈효과〉격투·몸통박치기술 하늘 높이 날아올라 낙하하면서
　　　몸통박치기를 날린다. 1회 공격.

귀갑 가드(소비 AP 125)

〈효과〉격투·몸통박치기술 효과 시간 중, 이동 불가지만
　　　모든 물리 대미지를 대폭 차단. 효과 시간 30초.

발도술(소비 AP 0)

〈효과〉 암기술. 허를 찌르며 강렬하게 칼을 뽑아 벤다.

1회 공격.

한 전투에 1회만 발동 가능. 현재 HP가 낮을수록 대미지 상승.

방어력 무시. 회피 불가.

그림자 화살(소비 AP 0)

〈효과〉 암기술. 사각을 찌르는 눈에 보이지 않는 화살을 쏜다. 1회 공격.

한 전투에 1회만 발동 가능.

현재 HP가 낮을수록 추가 효과 성능과 발동률 업.

방어력 무시. 회피 불가.

아츠는『러싱 링』으로 격투·몸통박치기를 추가했고, 레벨도 올라서 대폭 늘어났다.

사실은 레벨이 오르면서 익힐 수 있게 된 추가 마법도 있지만, 돈이 부족해서 익히지 못했다……

이걸 갖춰놓지 않으면 문장술사의 의미가 없어지니까 빨리 익히고 싶다.

■PAGE 3/3

【오의 일람】

데드 엔드(턴 오버⇒파이널 스트라이크⇒발도술)
청룡낙하(턴 오버⇒인간 나뭇잎 떨구기⇒발도술)

아츠가 늘어나서 물론 오의 배리에이션도 늘었다.

이번 적에게는 이게 도움이 될 거다ㅡ.

나는 최하층 보물고 문 앞에 머물고 있는 몬스터의 모습을 확인했다.

보석으로 장식된 훌륭한 황금 갑옷. 튼실한 체격에, 눈 안쪽은 새빨갛게 빛난다.

들고 있는 칠흑의 양손검도 변함없이 흉흉한 오라를 발하고 있다.

으~음. 변함없이 멋있네.

데들리 킹　레벨 99　왕관 아이콘(레어 몬스터)

자, 이번 목적은 이 녀석이다!

레벨 100인 코코루에게는 딱 좋은 일행이 되어줄 터!

자ㅡ 리벤지 매치로 가보실까!

"저, 저 녀석을 아군으로 삼는 거냐 꼬꼬? 확실히 강해 보이지만 꼬꼬ㅡ."

데들리 킹을 본 코코루가 숨을 삼켰다.

코코루의 레벨은 100. 데들리 킹은 99.

골든 옐로 스위츠는 자기 레벨 이하의 몬스터만 동료로 삼을 수 있으니까, 거의 상한에 속하는 이 녀석은 동료 몬스터로 삼기에는 안성맞춤이다.

근사하게도, 이거 왕관 달린 레어 몬스터에게도 통한단 말이지.

동료로 불러냈을 때는 꽤 약체화되긴 하지만.

그 힘 그대로 나오면 너무 위험하니까.

적 캐릭터가 아군이 되면 약해지는 전개는 정해진 수순이다. 뭐, 어쩔 수 없다.

적이라면 HP가 수만은 되는데, 아군이 되면 절반 이하로 줄어드는 로봇 게임도 있으니까.

레어 몬스터계는 약체화되어도 어지간한 동 레벨 일반 몬스터보다는 월등히 강하니까 충분하다.

동료로 삼을 수 있다면 코코루의 전력은 대폭 올라갈 거다.

자, 문제는 과연 동료로 삼을 수 있는가— 그거다.

골든 옐로 스위츠는 황매화빛 과자, 즉 돈 하나로 해결하는 것이니만큼 상대가 거부하며 덮쳐올 수도 있고, 더 원한다고 하면서 더욱 많은 금품을 요구할 수도 있다.

악ㅇ 대화 같은 거라고 생각하면 될지도 모른다.

"좋아, 가자 코코루. 저쪽이 덮쳐오면 바로 도망치는 거야"

"알았다 꼬꼬~!"

일행들을 남겨두고, 류를 안은 나와 코코루가 녀석에게 다가갔다.

내가 따라가는 건, 녀석이 코코루를 덮쳤을 때 즉시 『디어질 서클』을 전개하기 위해서다.

서클의 이동 속도 다운 효과를 받으며 달리면 상대방은 쫓아올 수 없기 때문에 안전하게 도망칠 수 있다.

덮쳐왔을 경우, 이 자리에서 싸우는 건 지형적으로 불리하다.

이 대고분 구역은 생명 감지 몬스터들이 벽에 묻혀있다.

HP가 줄어들면 그 녀석들이 반응해서 일제히 덮쳐오므로, 숫자에 무너지고 만다.

그러니 싸울 거라면 데들리 킹을 지상까지 끌어내는 게 좋다.

저번에는 지상까지 끌고 나왔는데도 져버렸지만— 이번에는 어떨까.

아무튼 필요해지면 재빨리 마라톤을 개시해야 하므로, 나도 코코루를 따라온 것이다.

"렌. 얼마 낼 거냐 꼬꼬?"

뇌물을 얼마나 낼지 교섭하는 건 코코루가 정하는 것이다.

"가진 돈을 단번에 전부 쏟아부어도 좋아. 저 녀석은 꼭 얻고 싶은 인재니까."

코코루에게는 50만 미라 정도 맡겨놨다.

한 번 불러내는 데 50만이나 들다니, 꽤 비싸다.

1타석 50만 미라의 외국인 용병이라고 생각하면 되겠지.

한 번 쓰면 계약은 종료되고, 또 불러내고 싶으면 다시 동료로 삼으러 가야 하니까, 하이 퍼포먼스를 내려면 상당한 고민이 필요하다.

원래는 적이 우글거리는 사냥터에서 전력을 바로 현지 조달해서 그 자리 그 자리를 버텨내는 식으로 쓰는 것이리라. 무력한 상인이 살아가는 길인 셈이다.

하지만 이것도 코스트와 수고를 들이면 최대 순간 풍속을 낼 수 있다.

괜찮아 괜찮아. 『데드 엔드 V』의 한 발 200만 미라에 비하면 싸니까.

이기기 위해서 용병 인건비를 많이 들여야 하는 거 프로 야구든 온라인 게임이든 똑같다.

거기에 무슨 문제가 있단 말인가! 아니, 없다!

"─아! 왔다, 코코루!"

데들리 킹이 우리에게 반응해서 움직이기 시작했다.

"알았다 꼬꼬! 해본다 꼬꼬!"

코코루가 골든 옐로 스위츠를 발동.

그러자 데들리 킹 앞에 반짝반짝 빛나는 이펙트와 함께 오동나무 상자 같은 게 내려왔다.

데들리 킹이 순간 발을 멈추고 그것을 바라보자 오동나무 상자 뚜껑이 열렸고, 안에는 어째서인지 금화가!

완전히 사극 같은 데서 본 그거다.

역시 황매화빛 과자로구나.
<small>골든 옐로 스위츠</small>

이런 세계관의 게임에 순수 일본식 이펙트를 들고나오다니, 초현실적이네.

어째서인지 웃음이 나왔다.

"이걸로 내게 힘을 빌려줬으면 좋겠다 꼬꼬!"

코코루가 호소하자, 데들리 킹은 오동나무 상자를 들어서 품에 넣는 동작을 취했다.

오동나무 상자가 스윽 사라졌다. 이건 녀석이 돈을 받았다는 뜻이다.

『좋다……. 하지만 나는 시시한 자에게는 힘을 빌려주지 않는다. ─나를 격파하여 힘을 보여라……!』

그렇게 말하더니, 검을 들고 이쪽으로 돌진해왔다!

"오, 온다 꼬꼬~!"

"음─?! 이 녀석……! 쓰러뜨리자! 그러지 않으면 돈도 낭비하게 돼!"

전에 싸웠을 때 배틀 매니아 같은 성격을 보였으니까, 나를 쓰러뜨리라는 소리를 하는 건 예상한 바다. 소환수 속성 캐릭터에게는 흔한 정석 같은 언동이라 할 수 있다.

그러나─ 돈을 받고 나서 쓰러뜨려 보라니 어떻게 된 거야!

배틀 매니아라면 돈 따위는 필요 없다고 했으면 좋겠고, 돈으로 움직이는 타입이라면 쓸데없이 배틀을 벌이지는 않는 삐딱한 태도를 보여줬으면 좋겠는데요?!

돈도 배틀도 다 좋아하다니, 성가신 녀석이라니까!

"『디어질 서클』!"

나는 곧바로 서클을 전개. 마법의 타깃은 내가 안고 있는 류다.

류가 가진 스킬 『타깃 마커』의 효과로 인해, 한번 설치하면 움직일 수 없는 서클 마법이 류를 따라 움직이게 된다.

이렇게 류를 안고 이동하면, 이동 속도 다운 효과를 주변에 전개하면서 이동할 수 있는 상황이 만들어진다.

이러면 적은 안쪽에 있는 우리를 쫓아오려고 해도 쫓아올 수 없다.

서클 안으로 들어오면, 우리의 이동 속도보다 느려져서 거리가 벌어지기 때문이다.

원거리 공격이 없는 한, 붙잡히지 않고 계속 마라톤이 가능하다.

"코코루. 나한테서 떨어지지 마! 먼저 위로 끄집어낼 거니까 따라와!"

"기, 기다려라 꼬꼬~!"

나와 코코루는 지상을 향해 달리기 시작했다.

『디어질 서클』의 둔화 필드를 전개한 우리는 최하층에서 지상으로 가는 길을 달렸다.

도중에 일반 몬스터인 데들리 제너럴이나 에인션트 돌 등도 우리를 발견해서 덤벼왔지만, 역시 둔화 필드 덕분에 간단히 피하며 나아갈 수 있었다. 한번 옆을 지나치면, 저 녀석들은 서클 효과가 끊어지지 않는 한 따라올 수 없다.

게다가 이번의 나는 그때보다 레벨이 대폭 상승했기에 MP량도 충분.

턴 오버로 HP와 MP를 바꿔서 MP를 보급하지 않더라도 지상까지 충분히 MP가 버틴다.

만약 MP가 줄어서 턴 오버를 한다면, 그 순간 현재 HP와 MP가 바뀌어서 HP가 대폭 줄어들게 된다.

그러면 저 대고분 구역의 벽에 묻혀있는 생명 감지형 크림슨 머미가 일제히 일어나 덤벼든다.

생명 감지란 일정 HP가 줄어든 플레이어를 확인하고 덮치는 감지 방법이다.

이곳 아우미슈르 대고분은 생명 감지에 걸린다=대량의 머미가 덮쳐와서 죽는다는 기믹이 있는 관광 명소다.

"『디어질 서클』!"

효과가 끊어지기 전에 서클을 덮어씌웠다.

순간 발이 멈추게 되지만, 아직 적의 손은 닿지 않는다.

다시 달려서 안정적으로 거리를 벌렸다.

"잘 되어가고 있다 꼬꼬~!"

"……."

이대로 가면 저번처럼 크림슨 머미의 대량 트레인이 일어나지 않고 지상으로 나올 수 있다—.

하지만— 뭐랄까…… 그래도 되나 싶기도 하단 말이지.

한다고 죽는 것도 아니고, 그냥 벗어날 수 있으니까…… 저번에도 벗어났단 말이야.

"힘내~! 렌, 코코루~!"

"지금 죽으면 50만 낭비한다구!"

"이제 절반 돌아왔어. 정신 똑바로 차려!"

"과연, 편리한 서클 마법 사용법이네요. —수호룡의 존재가 전제되긴 하지만요."

일행들도 데들리 킹 바로 뒤에서 따라오고 있다.

적의 공격 목표는 나와 코코루로 집중되어 있기 때문에 살짝 견학 기분이다. 운동회 응원 같다.

으~음. 이 미소녀 군단의 간담을 서늘하게 만들어주고 싶다는 생각이 드는데.

저번에 우리 일행은 나와는 따로 행동해서 보물고를 털러 갔으니까, 그걸 보지 못했단 말이지.

그 초절정 거대 트레인은 한번 봐둬야 한다고 생각하거든!

볼만하기도 하고, 스샷으로 찍기도 좋다!

그런고로—.

"『디어질 서클』!"

이번에는 꽤 넓은 범위로 서클을 전개.

불필요하게 커다란 이 범위의 속셈은 즉, MP 버리기다.

나의 MP는 이제 11 남았다.

"이번 서클은 크다 꼬꼬~."

아무것도 모르는 코코루는 보이는 걸 그대로 말했다.

좋아— 준비 오케이!

"턴 오버!"

스킬 발동! 이걸로 HP 11, MP가 풀로 찬다.

그러자—

""""우오오오오오오오오옹!"""""

크림슨 머미　레벨 78　잔뜩

왔다 왔다! 대량의 붉은 머미가, 마치 유령의 집에 있는 손이 잔뜩 달린 벽에서 튀어나오듯이 인사했다!

"꼬끼오~~~?! 으갸아아아아아~~ 꼬꼬~~?!"

코코루가 이 세상의 종말이 온 듯이 절규했다.

""""꺄아아아아아아악~~?!"""""

동시에 후방의 미소녀 군단도 절규.

생명 감지에 걸린 건 나니까, 내가 쓰러지지 않는 한 적이 일행들을 습격할 일은 없다.

그러나 내게 다가오려는 크림슨 머리들 안에서 뭉개지고 있었다.

"멈추지 말라고 코코루! 확실하게 도망치면 괜찮으니까!"

"말하지 않아도 도망친다 꼬꼬~~! 이건 터무니없는 사태다 꼬꼬~!"

"잠깐만 렌! 지금 일부러지! MP 충분했잖아?!"

"그래도 보라고, 굉장한 경치잖아? 이런 트레인은 좀처럼 볼 수 없다고! 모처럼이니까 모두에게 보여주고 싶었거든!"

그나저나 변함없이 굉장한 그림이다. 무심코 웃음이 나온다.

이 게임을 하면서 한 번은 보고 싶은 절경이라니까.

"핫핫핫! 변함없이 굉장하네! 하하하하하!"

"렌은 정말~! 그래도 이거 정말 굉장하네! 어느 의미로는 절경이야, 이건 스샷을 찍지 않을 수 없겠어!"

응응, 역시 아키라는 최종적으로 좋아해 준다니까. 역시 절경 마니아.

"그, 그래도 이거 어떻게 할 거야?!"

"이, 이런 숫자는 못 쓰러뜨리는데—?!"

"괜찮아! 밖으로 나가면 데들리 킹 말고는 쫓아올 수 없어! 전에 검증했으니까!"

아무리 그래도 도망칠 수 없는데도 일부러 할 일은 아니다.

안전하게 도망칠 수 있다는 자신감이 있었기에 한 장난이다.

진정한 싸움은 지상에 나오고 나서. 저번에는 결국 데들리 킹에게 패했으니까.

"출구가 보인다 꼬꼬~!"

"좋았어! 나가자!"

우리는 대고분 밖의 지상으로 뛰쳐나왔다.

그러자 데들리 킹 이외의 적은 보이지 않는 벽에 막혀서 밖으로 나오지 못하고 남겨졌다. 전에 봤던 현상이다.

"정말이네요—. 적이 멈췄어요……!"

아카바네가 남겨진 몬스터 무리를 돌아보며 말했다.

그런 가운데, 금빛 갑옷을 입은 데들리 킹만이 우리를 바깥까지 쫓아왔다.

"왔구나—! 자, 우리의 싸움은 지금부터다!"

"우와아……! 그 대사, 왠지 그 뒷 전개가 절대 이어지지 않을 것처럼 들리네!"

아키라가 내 농담에 제대로 반응해줬다.

자— 해보자!

"코코루는 떨어져 있어!"

"알았다 꼬꼬!"

코코루가 후퇴했다.

데들리 킹의 공격목표는 골든 옐로 스위츠를 사용한 코코루에게 향해 있다.

어그로량 자체는 크지 않으니까, 우선 적의 공격목표를 코코루에게서 빼앗는다.

"『검의 춤』!"

찰떡같은 호흡으로 아키라에게서 날아온 『검의 춤』.

이제 아까 사용한 『턴 오버』가 재사용 가능해진다.

오의 재사용 OK다.

"『디스트라 서클』!"

STR 다운 효과를 가진 서클 마법이다.

이걸 광범위로 전개해서 단숨에 MP를 비웠다.

STR을 줄여서, 녀석의 공격으로 받는 대미지를 줄이는 효과를 노린다.

그리고— 나는 자세를 잡고 지팡이칼을 뽑았다!

"오의 『데드 엔드』!"

서거어어어어억! 보라색 빛이 그어졌다!

렌의 데드 엔드가 발동. 데들리 킹에게 4279의 대미지!

음. 대미지는 순조롭게 늘어났군!

레벨은 올랐고 스텟은 몰빵한 데다 무기 업데이트도 빠짐 없이 했으니까!

오의는 또 하나 있지만, AP가 없는 상태에서 쓸 수 있는 건 이쪽이다.

『데드 엔드』는 소비 AP가 제로라는 점이 무척 편리하단 말이지.

로망포의 기본이기도 하고, 애착이 있다고나 할까. 이 녀석은 좀처럼 빼놓을 수 없다.

"『길티 스틸』!"

유우나의 길티 스틸이 발동. 유우나는 렌의 어그로를 모두 훔쳤다!

방패를 들고 가드를 굳힌 야노가 내 어그로를 전부 가져갔다.

게다가 마에다와 야노에게서 회복마법. 이걸로 내 HP는 거의 회복.

데들리 킹의 공격을 막는 야노는 가드 대미지를 받으면서도 정확하게 공격을 가드했다.

좋아, 안정적이야—!

딱히 나 혼자 일대 일로 싸울 필요는 없다. 지금은 야노에게 탱커를 맡기면 된다.

나는 다음 지팡이칼을 곧장 합성했다.

소재는 다마스쿠스 스틱과 다마스쿠스 소드의 조합이다.

"한 턴 더 해서, 야노에게 확실히 고정하자!"

내 의도를 읽은 일행들이 행동하는 로그가 흘렀다.

아키라의 검의 춤이 발동. 렌의 모든 스킬이 재사용 가능해졌다!

노조미의 검의 춤이 발동. 유우나의 모든 스킬이 재사용 가능해졌다!

렌의 데드 엔드가 발동. 데들리 킹에게 4279의 대미지!

유우나의 길티 스틸이 발동. 유우나는 렌의 어그로를 모두 훔쳤다!

그리고 마에다와 야노에게서 회복마법.

두 번의 『데드 엔드』로 얻은 어그로를 가져가자, 데들리 킹은 야노에게 못 박혀버렸다.

이대로 야노에게 탱커를 맡기고 깎아나가자—!

"HP 절반 정도에서 전력을 내며 오의를 쓰니까, 그때까지는 이대로!"

그렇게 말하며 세 번째 지팡이칼을 합성. 숨 쉬듯이 돈이 날아간다!

데들리 킹이 야노를 공격하는 틈틈이 아키라와 아카바네가 공격을 가해 녀석의 체력을 줄였다.

나도 AP를 쌓기 위해 드문드문 일반 공격.

대미지는 적지만 AP가 쌓이면 된다.

그런 가운데—.

"에잇! 『의태』!"

펑 하고 솟아오르는 연기.

아키라는 『스카이 폴』과 『미믹 팬』의 이도류였다.

『의태』 결과 나타난 것은— 당연히, 또 하나의 데들리 킹이다.

그리고 그 데들리 킹이 『스카이 폴』과 『미믹 팬』으로 원조를 찰싹찰싹 공격했다.

"좋아, AP 다 찼어! 『검의 춤』 갈게!"

으~음. 금빛 갑옷의 해골 기사가 아키라의 목소리로 무희 모션인 『검의 춤』을 쓰는 겁니까. 이거 꽤나 수상쩍네—.

아키라의 검의 춤이 발동. 렌의 모든 스킬이 재사용 가능해졌다!

그러나 효과는 제대로 나온다. 받는 쪽의 기분은 별로지만!

이거, 아키라도 알고서 한 것 같은데!

아무튼 아키라와 아카바네가 AP를 충분히 확보하면 나와 야노에게 『검의 춤』, 그 후에 내 오의와 야노의 어그로 뺏기. 이걸로 안정적으로 흘러갔다.

한동안 그런 페이스로 전투가 진행됐고— 이윽고 녀석의 HP가 절반을 밑돌았다.

『후후후후…… 나와 여기까지 싸울 수 있을 줄이야—.』

스켈레톤인데 씨익 기쁜 듯이 웃는 듯한 분위기.

"—다들 조심해! 온다!"

나는 모두에게 경고를 날렸다.

지금부터 녀석이 전력을 다한다! 진짜 승부가 시작되는 셈이지!

『그 힘에 경의를 표하며— 나의 오의를 보여주마!』

데들리 킹은 양손으로 검을 들고, 지면을 향해 거꾸로 세웠다.

온다.『붉은 재앙』!

주변에 화염 폭풍을 일으키는 범위 공격 오의다.

지면에 꽂은 검을 중심으로 맹렬한 불꽃이 솟구친다.

저번에는 이걸로 일격에 전멸했었다. 처음 봤으니까.

그러나 이번에는 모두에게도 녀석의 오의를 알려줬고, 대책도 세워놨다!

『똑똑히 보아라! _{레드 디재스터}「붉은 재앙」!』

데들리 킹은 크게 외치며 검을 지면에 꽂으려는 듯이 내리쳤다.

녀석의 자세에 맞춰서, 우리도 각자 일제히 대책에 들어갔다.

그 모습이 로그 윈도우에 파팟 표시되었다.

유우나의 스프린트 발동. 유우나는 빠른 발 상태가 되었다!

아키라의 호크 스트라이크가 발동.

노조미의 하드 슬래시가 발동.

렌의 파이널 스트라이크가 발동.

야노는 스킬의 힘으로 고속 대시해서 붉은 재앙의 범위 밖으로 후퇴.

아키라와 아카바네는 뒤로 빙글 돌아서 각자 전방으로 높이 뛰어오르는 아츠를 발동.

아츠의 움직임을 녀석의 오의를 피하는 회피기로 사용한 것이다.

나만 파이널 스트라이크를 발동해서 회피 동작이 아니지만, 제대로 다음이 있다.

"좋아, 간다—! 오의!"

나는 지팡이칼을 발도해서 하늘 높이 던졌다.

직후 그걸 따라서 높이 점프!

지팡이 아츠『윈드밀』과 비교해도 두 배 정도 높은 도약.

이건 이런 움직임의 오의다.

턴 오버 ⇒ 인간 나뭇잎 떨구기 ⇒ 발도술의 합성 오의!

인간 나뭇잎 떨구기의 모션은, 높이 뛰어올라 그 낙하의 기세로 적에게 다이빙 보디 프레스를 먹이는 거친 기술이다.

몸통박치기계 아츠라서 당연히 HP를 소비한다.

그 소비를 감안해서, 이번에는 MP를 인간 나뭇잎 떨구기의 소비 HP만큼 비워놨다.

붉은 재앙이 오는 건 녀석의 HP가 절반 이하가 되었을 때라는 걸 알고 있었기에 사전에 조절할 수 있었다. 이른바 경험을 살린 셈이다.

무식한 도약이지만 이건 게임. 뭐든지 가능하다!

내 몸의 감각이 느껴지면서도 이런 비현실적인 기동이 가능하다니, 엄청 즐겁다.

이 게임 말고는 즐길 수 없는 감각이고말고요!

쿠오오오오오오오오오오!

붉은 재앙이 발동. 아래쪽 풍경이 붉게 물들었다.

하늘로 날아오른 나와 아키라와 아카바네. 달려서 거리를 벌린 야노.

각자 모두 후퇴한 직후, 붉은 화염이 몰아쳐서 우리가 원래 있던 곳을 태워버렸다.

—좋아, 회피 성공이다!

그리고—!

점프한 나는, 앞서 던졌던 지팡이칼 속 검을 따라잡았다.

칼자루 위에 올라타서, 도킹!

그러자, 검과 내 몸이 푸른 오라에 휩싸였다.

그것은 드래곤 머리 모양이었다. ―즉, 청룡이다.

"『청룡낙하』! 가라아아아아아~앗!"

청룡 오라에 휩싸인 나와 검은 데들리 킹을 향해 급속도로 낙하하기 시작했다!

아니, 낙하 속도가 너무 빨라서 무서운데요?!

촤아아아아아아아악!

하늘에서 떨어진 청룡이 데들리 킹의 머리를 똑바로 꿰뚫었다.

떨어진 운석이 그대로 직격한 느낌이다. 현실이라면 엄청나게 낮은 확률로 일어날 대사고다.

『인간 나뭇잎 떨구기』의 다이빙 보디 프레스와 『발도술』의 검을 뽑아 후려치는 동작을 합치면, 먼저 검을 공중에 던지고 뛰어올라, 공중에서 칼자루에 타고 그대로 칼끝부터 적에게 다이브! 가 되는 모양이다.

응, 그래. 모르겠어! 다이빙 소드 프레스인가?

하지만 나는 좋아한다! 멋있고, 지금처럼 적의 공격을 피하면서 펼칠 수 있다는 이점도 있다.

떨어질 때 확실히 팔짱을 끼는 포즈를 잡으면 멋있겠지.

지금은 아직 익숙하지 않아서 못하지만, 할 수 있도록 연습해야겠다.

그리고 중요한 대미지는—.

렌의 청룡낙하가 발동! 데들리 킹에게 5735의 대미지!

그렇지, 좋은 대미지다!

회피 동작도 겸하면서 『데드 엔드』를 뛰어넘는 대미지를 뽑아냈다.

『인간 나뭇잎 떨구기』용 AP가 100 필요하지만, 그것만큼의 성과는 충분하다.

"자! 애프터 커버! 변함없이 딜은 터무니없다니까!"

유우나의 길티 스틸이 발동. 유우나는 렌의 어그로를 모두 훔쳤다!

야노가 곧장 내 어그로를 가져갔다.

이렇게나 나와 야노가 스킬을 마구 쓸 수 있는 건, 아키라와 아카바네 더블 소드 댄서가 『검의 춤』을 마구 뿌려주는 덕분이다.

플레이하는 사람에게는 문제겠지만, 역시 소드 댄서는 유능하네.

배틀에서 전술적 유연성이 높아진단 말이야.

그게 두 명이나 있으면 더더욱 그렇다.

"굉장했지만 얼굴이 좀 일그러져 있었어, 렌! 좀 더 빠릿하게 팔짱 끼는 포즈라도 잡으면서 떨어지는 게 어떨까~?"

여전히 데들리 킹으로 변신한 아키라가 태클을 걸었다.

으~음. 뼈다귀 킹한테 들어도 귀엽지가 않네!

"나도 그러고 싶기는 했지만 말이지—!"

"사이좋은 건 좋지만, 아직 적은 쓰러지지 않았어요!"

아카바네의 말이 옳다.

"그래, 알고 있어! 이대로 가자!"

우리는 『붉은 재앙』을 주의하면서 데들리 킹의 체력을 계속 줄여나갔다.

도중에 『붉은 재앙』이 몇 번 날아왔지만, 조금 전과 같은 대처로 흘려냈다.

그리고 몇 번째인지 모를—.

"오의—『청룡낙하』아아아아!"

좌아아아아아아아아악!

렌의 청룡낙하가 발동! 데들리 킹에 5735의 대미지!

좋았어, 이번에는 확실히 포즈도 잡았다고!

그리고 그 대미지가, 데들리 킹의 HP 바를 거의 다 깎았다.

드디어 데들리 킹이 그 자리에 무릎을 꿇었다.

"크으— 좋다……. 확실히 보았다. 나의 힘을 빌려주마—"

그렇게 말하더니 몸이 명멸하면서 스으윽 사라졌다.

그리고—.

코코루의 골든 옐로 스위츠가 성공.
코코루는 데들리 킹을 소집 가능해졌다.

좋았어, 성공! 이걸로 코코루의 전력은 대폭 올라갔다!

그러나 하나 문제가 있었다.

경험치도 돈도 전부 못 받는 건가요?!

"그렇구나. 동료로 만들었으니까 쓰러뜨리지 않은 판정이 되어서 경험치도 돈도 드롭 아이테도 없는 건가."

경험치도 보물도 꽤 기대하고 있었는데.

모처럼 레어 몬스터 격파인데 아무것도 받지 못할 줄이야—!

아니, 하지만 그걸 버려서라도 특화된 성능을 추구하는 것이 로망! 그래도 괜찮아!

그런고로— 데들리 킹, 넌 우리 거야!

자, 드디어 찾아왔습니다. 길드 대항 미션 최종 배틀로얄 with 보호자 참관일!

집합 장소는 부유도시 티르나 근해에 설치된 인공 부유섬.

거기에 모든 길드의 비공정이 주둔할 수 있는 부두가 마련되어 있었다.

게다가 인공 부유섬에는 보호자 참관용 관객석과 모니터가 설치됐다.

나는 부모님과 함께 부두에 정박한 피치 선더호를 보러 갔다.

시합 시작 전까지는 마음껏 견학해도 된다고 하니까.

다른 길드에서도 로그인한 보호자 참관인들이 부두까지 견학하러 와서 꽤 북적였다.

"우와아아~ 이거 눈에 띄네에. 이렇게 화려한 색이면 찾는 게 편해서 좋겠어."

우리 엄마가 피치 선더호를 바라보며 말했다.

타카시로 레이카. 37세. 외모 연령은 20대 후반 정도?

자칫하면 20대 전반으로 보이는 것도 가능하나? 미마녀(美魔女)라고나 할까요.

꽤 젊게 보일 때가 많다. 참고로 직업은 작가다.

이 늘어지는 말투처럼 포근하고 순진하게 보이지만, 실제로는 하는 일이 호쾌하고 좀처럼 방심할 수 없는 성격을 가졌다.

속이 시커먼 정도는 아니지만, 틀림없이 계산 빠르고 머리 회전도 빠를 거다.

그러지 않으면 작가 선생님 같은 건 못할 테니까—.

"그나저나 최신 게임은 굉장하네에. 마치 또 하나의 별세계 같아……. 일만 아니었다면 내가 입학하고 싶을 정도야아~. 좋은 취재가 될 것 같아~."

"적어도 내가 졸업하고 나서 해줘, 엄마. 부끄러우니까!"

"농담이야아, 농담. 엄마, 렌의 방해는 안 할 테니까아."

아니, 엄마는 무슨 소리를 할지 알 수 없는 면이 있으니까.

언젠가 진심으로 입학하겠다고 나설 것 같아 무섭다.

"어떠냐, 렌. 이길 수 있을 것 같으냐?"

아버지가 내게 물었다.

"응. 확실히 검증도 준비도 했으니까, 꽤 우승 후보라고 생각해!"

"열심히 해에. 승부는 이겨야 하니까아, 어떤 수를 써서라도 이겨야 한다~. 세상은 이기면 전부 용서받으니까아. 이기면 장땡이야~."

"아니, 엄마. 그런 말투는 교육적으로 좀 그렇지 않아?"

나왔다. 엄마는 참 느긋하게 과격한 소리를 한다니까.

"괜찮아아. 렌은 빠릿하니까아. 엄마의 자랑스러운 아들이잖니이."

"예이예이. 그럼 엄마의 기대에 응할 수 있도록 힘낼게."

그때, 피치 선더호 갑판에서 코코루가 고개를 내밀어 내게 인사했다.

"렌! 좋은 아침이다 꼬꼬~!"

"여어, 코코루! 드디어 시합날이 됐네!"

"잘 잤냐 꼬꼬? 나는 긴장해서 조금 수면 부족이다 꼬꼬~."

"아니, 나도 이것저것 데이터 해석을 하느라 수면 부족이야. 뭐, 언제나 그렇지만."

"평소와 똑같은 거냐 꼬꼬~. 렌은 배짱이 두둑하다 꼬꼬~."

그때, 코코루를 본 아버지가 감탄하며 중얼거렸다.

"얘가 렌네 팀 NPC인가? AI 퀄리티가 굉장한데…… 마치 살아있는 것 같잖아."

"아버지네 회사도 개발에 얽혀있는 거 아니었어?"

"아니, 우리는 VR 모션 쪽이니까 이쪽 관련은 노 터치거든."

아버지는 다시 굉장하다고 중얼거렸다.

뭐, 확실히 코코루를 비롯한 영웅 후보들은 평범하게 인격이 있는 것처럼 보이니까.

"귀여워라~! 게다가 맛있어 보이네에. 우후후후후."

"꼬꼬~?! 나를 먹으려 하는 거냐 꼬꼬?!"

"아니, 농담이야 농담. 엄마는 농담을 좋아하니까ー. ……아마도. 그보다도 아키라네는?"

"아키라와 유우나는 아직이다 꼬꼬~. 코토미라면 저기에ー."

조타실을 바라봤다.

아, 확실히 마에다가 있네ー!

정장을 입은 성실해 보이는 부부도 있다.

확실히 부모님 두 분 모두 학자랬지? 즉, 대학교수라는 거다.

과연, 그야말로 그런 분위기네.

그리고, 마에다는 그런 진중해 보이는 부모님 앞에서 눈을 반짝반짝 빛내며 뭔가 설명하고 있었다.

아, 저 타륜의 레버는 니트로구나. 니트로를 설명하는 건가. 평소의 나쁜 버릇이 나왔구나…….

하지만, 듣고 있는 부모님은 조금 쓴웃음을 지으면서도 왠지 기뻐 보였다.

마에다는 평소에 쿨 계열이니까. 저렇게 텐션 높은 모습은 부모님에게도 신선했던 걸지도 모른다.

우리는 부두에서 피치 선더호 갑판으로 올라왔다.

그러자 마에다 가족이 조타실에서 나왔다.

"그래서, 이번 배틀로얄을 위해 준비한 비장의 카드를 선수에 붙여놨어."

마에다가 반짝반짝 빛나는 눈으로 선수를 가리켰다.

아, 우리의 새로운 파츠도 설명하는 건가.

이번 배틀에서 아카바네의 길드는 비공정을 대여해서 사용하는데, 거기에도 확장 파츠는 탑재할 수 있다.

그래서 아카바네가 내줬던 확장 파츠인 니트로 차저는 그쪽에 반납했다. 구체적으로는 두 개 정도 돌려줘서, 그만큼 칸이 비었다.

그리고— 그 비어버린 확장 파츠 슬롯에 탑재한 것이 마에다의 말에 나오는 그것이다.

골든 버니 축제에서 몇 개 얻었던 레어 소재 『버니 골드』를 쏟아부은 황금의 쇳덩어리!

그렇다. 우리 피치 선더호의 선수에는 황금의 거대 드릴이 장비되어 있다.

공격계 확장 파츠인 골든 드릴이다!

마에다는 이걸로 적의 비공정을 박살내는 걸 무척 기대하고 있었다.

기쁜 듯이 선수에 달린 골든 드릴을 가리키던 마에다가 우리의 존재를 눈치채고 말을 걸었다.

"타카시로. 좋은 아침."

"안녕, 마에다. 나중에 드릴로 마음껏 날뛰어 달라고."

"응, 맡겨둬! 모처럼 합성한 파츠니까. 분명 도움이 될 거야!"

기합이 들어가 있네.

함대전을 가장 기대하고 있는 건 아마 마에다겠지.

마음껏 비공정을 날려버릴 수 있을 테니까.

내가 골든 드릴을 합성했을 때도 정말 기뻐했었다.

함대전에서 니트로만으로는 공격 수단이 빈곤하니까, 공격 파츠를 찾고 있을 때 그걸 만들 수 있는 소재가 모여있던 건 행운이었지.

게다가 함수 충각 공격 파츠로는 최상급이라고 한다. 골든 버니 만만세다.

우리의 작전은 니트로의 가속을 살리는 드릴 돌격 전법으로 날뛰는 것이다.

잘못해서 호무라 선배 쪽과 아카바네 쪽을 공격하지 않도록 주의해야겠지.

호무라 선배 쪽과는 동맹 약속을 맺었고, 아카바네 쪽은 일부러 적대할 필요는 없다.

그보다, 아카바네 쪽은 그다지 다가가고 싶지 않아⋯⋯.

아니, 아카바네만이라면 상관없지만, 실전에서는 녀석이 나올 테니까.

NPC 셀피도 저런 꼴이고⋯⋯ 부모님 앞에서 그 녀석들과는 얽히지 않을 거다. 부끄럽잖아.

"요게 너네 팀 비행기가? 색상이 이기 뭐꼬? 이거 어차피 니가 저지른 기제?!"

"아, 아니거든! 칠한 건 나지만, 색상 정한 건 코토미가⋯⋯!"

"그게 진짜가?! 갸는 그거 아이가. 중학교에서 성적 톱이었다는 갸제? 니라면 모를까—."

"딱히 나쁘지는 않잖아. 귀엽다구."

"아이다 아이다. 너무 요란하다 안카나. 악취미 튜닝 트럭 같네……."

야노와 조금 풍채 좋은 아줌마 같은 사람이 뭔가 말다툼을 나누면서 갑판으로 올라왔다.

이 사람이 야노의 엄마—?! 야노네 부모님은 칸사이 사람이구나.

이쪽을 눈치챈 야노는 손을 흔들면서 인사했다.

"코토미. 타카시로. 코코루. 좋은 아침~."

평소처럼 가벼운 느낌이지만, 그걸 본 야노의 엄마가 뒤에서 머리를 꾹꾹 눌러댔다.

"가시나야! 인사 제대로 몬하나. 안녕하이소. 언~제나 우리 집 아가 민폐를 끼치는 모양이라— 신세 지고 있습더."

우리와, 그리고 우리 부모님에게도 고개를 숙이며 인사했다.

빠릿하다고나 할까, 붙임성 좋은 사람이네.

집은 미용실이라고 했었나? 가게를 하는 사람 특유의 사교성 같은 게 느껴진다.

"아파아파! 정말~ 초등학생도 아닌데!"

"지능 레벨은 초등학생에 털이 난 정도 아이가!"

"시끄럽네에. 성적 올랐거든!"

우리 엄마가 그것에 반응했다.

"아, 우리 렌도 성적 올라갔죠오. 게임 삼매경인데 성적이 오르다니 반신반의였는데, 정말이었네요."

뭐, MEP를 당근으로 내세우면 게이머는 노력하게 되지.

이번에도 공부로 결과를 남겼으니까 피치 선더호도 얻은 거고, 니트로 차저도 탑재할 수 있었다.

그게 『하늘의 균열』에서 골든 버니 축제로 이어졌으니까, 결국 공부를 노력한 결과가 게임에 그대로 반영된 것이다.

앞으로도 공부는 필요하겠지. 아직 갖고 싶은 탤런트와 장비와 아이템이 많으니까.

"아, 맞다. 거기 따님이 우리 아의 공부를 봐줬다 카든데, 참말로 고맙심더."

"아뇨아뇨, 본인도 평소보다 보람이 있어서 즐거웠다고 하더군요—."

마에다의 아버지가 대답했다.

뭔가 부모끼리 잡담을 나누기 시작한 것 같은데.

하지만 눈앞에서 우리 이야기를 하니까 진정이 안 되네—.

"그러고 보니, 아키라는 아직이야?"

"그러게. 이제 별로 시간도 없는데—."

"보호자 참관에 겁먹고 있었으니까, 내키지 않는 거 아냐? 앗키도 큰일이네."

"그러게. 잠깐 보고 올까."

우리는 갑판에서 부두로 내려와 주변을 돌아봤다.

아직 아키라의 모습은 보이지 않았다.

그러나 우리의 모습을 보고 말을 건 사람이 있었다.

"꼬꼬! 있다 있다 꼬꼬! 어어어~~이! 코코루!"

코코루를 두 배로 키우고, 수염을 붙인 것 같은 외모의 코케족이었다.

"앗?! 아빠 꼬꼬?!"

옆에는 볏이 없는 코코루 같은 코케족, 아마 여성이 있었다.

게다가 이 두 사람? 두 새?

그들에게 달라붙어 있는, 아직 조그만 어린이 코케족이 하나, 둘, 셋, 넷—.

그 아이들은 조그만 어린이 코케족이라서— 다시 말해— 닭이 아니라 병아리였다.

"""""형! 오랜만이다 삐약~!"""""

코코루의 형제자매인가? 삐약삐약 울면서 코코루를 끌어 안았다.

"귀, 귀여워~!"

"우와아아아…… 정말이네. 코코루의 동생이야?"

"맞다 꼬꼬~. 다들 잠시 못 보던 사이 커졌다 꼬꼬!"

아니 근데, 이거 진짜로 귀여운데.

남자인 나조차도 조금 안아보고 싶을 정도라고—.

"규~! 삐약삐약~!"

내 머리 위에 올라간 류가 코코루의 동생들과 장난을 치러 갔다.

살짝 깨물려고 했는데―.

"""""꺄아~! 먹힌다 삐약~~!"""""

삐약이들은 거미 새끼 흩어지듯이 후다닥 도망쳐버렸다.

아무래도 드래곤은 어린이라 해도 무서운 모양이다.

류는 류대로 귀여운데 말이지.

"뀨~? 술래잡기? 술래잡기!"

술래잡기가 시작됐다고 생각한 류가 삐약이들을 쫓아가기 시작했다.

"""""삐약~~~~~?!"""""

점점 혼란스러워졌다.

그나저나 이런 상황도 귀엽네. 병아리는 귀엽단 말이지, 병아리는.

"자, 류. 무서워하니까 그만하자."

나는 류를 만류하면서 끌어안았다.

"그래, 오늘은 우리만이 아니라 코코루도 보호자 참관을 하는구나."

"그런 것 같다 꼬꼬. 나도 몰랐다 꼬꼬."

그렇게 말한 코코루는 오랜만에 가족의 얼굴을 봐서 기쁜 모양이었다.

"우리 코코루가 신세를 지고 있습니다 꼬꼬."

코코루의 아버지가 우리에게 고개를 숙였다.

확실히 코케족 상인이었을 거다. 코코루는 상인의 아들이라고 했으니까.

"이 아이, 폐는 끼치지 않았나요? 싸움에는 별로 어울리지 않는 아이라서—"

어머니가 말했다.

"아뇨아뇨, 그렇지 않아요! 레벨도 엄청 올라갔고, 충분히 우승을 노릴 수 있거든요! 지켜봐 주세요!"

"정말입니까 꼬꼬? 코코루 너, 레벨은 얼마나 되었냐 꼬꼬?"

"응, 아빠. 일단 레벨은 100이 되었다 꼬꼬."

"꼬꼬?! 100이라고 꼬꼬?! 터무니없는 성장이다 꼬꼬—!"

"어머…… 그렇게나?!"

""""형, 굉장하다 삐약!""""

코코루의 가족 전원이 코코루를 반짝반짝 빛나는 눈으로 바라봤다.

"괘, 괜찮을까 꼬꼬~. 렌…… 나 레벨만 오른 거 아닌가 꼬꼬……?"

"괜찮아. 스킬은 준비해 놨잖아. 괜찮아. 당당히 있으라고."

"아, 알았다 꼬꼬~."

그때 NPC 조인종 집단이 지나갔다.

오늘은 쿠자타 씨는 없는 모양이지만, 코코루를 괴롭히던 녀석들이다.

"음…… 오, 코코루냐."

"아……."

코코루는 내 뒤에 슬쩍 숨었다. 역시 거북한 모양이다.

뭐, 그야 그런가. 코코루를 위해서라도 여기서는 한 방 먹여줘야겠지.

"여어, 너희들! 상황은 어때?"

"……아앙? 알 바 아니잖아. 적에게 정보를 줄 생각은 없다고."

"그래그래. 전에 건방진 소리를 하던데, 오늘은 뭉개버릴 테니까."

"야, 알겠냐! 겁쟁이 코코루! 레벨은 좀 올린 모양이지만, 우리의 적수는 아니라고!"

조인종들이 으르렁댔다.

이 녀석들 우리를 노릴 것 같네.

"우우우…… 왠지 눈엣가시로 여기고 있다 꼬꼬~."

"괜찮아, 코코루! 한 방 먹여주자고. 잘 들어—."

귓속말을 했다.

"에엑?! 괜찮을까 꼬꼬……."

"괜찮아. 가보자. 야, 너희들!"

나는 조인종들에게 손가락을 척 내밀었다.

"보라고, 여기 코코루를— 드디어 레벨 100까지 올라갔다고! 이걸 따라잡지는 못했겠지?! 너희에게는 승산이 없어!"

뭐, 레벨로는 우리도 코코루를 따라잡지 못하지만.

이번 배틀로얄의 레벨 제한은 각 길드 NPC의 레벨까지니까, 우리도 레벨 100까지는 허용되지만 애초에 레벨이 71이라서…….

그건 조금 아깝지만, 레벨 70 정도면 다른 길드의 레벨에는 손색이 없다.

"뭐, 뭐라고……!"

"겁쟁이 코코루 주제에 건방지게—."

"큭큭큭큭큭— 꼬꼬."

코코루가 의미심장한 미소를 지으며 내 뒤에서 나왔다.

그리고 자신만만하게 직접 자신을 가리켰다.

"나는 이미 옛날의 내가 아니다 꼬꼬. 렌 일행과 만나서 변했다 꼬꼬."

"뭣이……?!"

"그래— 나는 이제 평범한 코코루가 아닌…… 슈퍼 코코루다 꼬꼬!"

"……코코루 녀석이!"

"저렇게 자신감 넘치는 표정을 보이다니—!"

""""혀, 형, 멋있다 삐약~!""""

좋아, 잘한다! 이 녀석들 쫄았어!

경계심을 부추겨서 배틀로얄에서 집중 공격을 받지 않게 하는 작전이다.

코코루는 확실히 레벨 100까지 오르기는 했지만, 알맹이는 종이호랑이.

골든 옐로 스위츠의 준비는 해놨지만, 코코루 본체가 집중 공격을 받으면 위험해진다.

그게 들키지 않도록 코코루 본체가 강해졌다는 낌새를 풍겨야 한다.

자칫 손을 댔다가는 그냥 넘어가지 않는다고 생각하게 만들어야 한다.

그 상태에서, 함대전 중에는 코코루의 성능을 들키지 않도록, 손가락 하나 건드리지 못하게 하면서 넘어가야 한다.

그걸 위한 싸움은 이미 시작되었다. 심리적 밀당이라는 거다.

"홋…… 그거 기대되는군. 이 배틀로얄에서 실력을 확인해 보도록 하지."

음. 쿠자타 씨가 나타났다. 레벨은— 75인가.

즉, 쿠자타 씨 쪽 길드 녀석들은 레벨 75 제한이다.

뭐, 그거라면 우리 레벨로도 충분히 싸울 수 있겠다.

"우와, 너희 쪽 NPC 레벨 100이냐. 굉장하네!"

카타오카가 쿠자타 씨와 함께 나타났다.

그렇다. 쿠자타 씨의 길드는 카타오카의 널리지 레이크란 말이지.

"여어, 카타오카. 너 오늘은 아카바네의 일벌 아니냐?"

"훗. 팀은 다르더라도 전력으로 노조미 님이 유리해지도록 움직일 생각이거든? 각 길드의 인원은 정해져 있으니까, 일벌은 다른 팀에 끼어들어 있는 게 오히려 도움이 된다고."

뭐, 각 길드 참가 인원은 NPC를 포함한 여섯 명까지다.

도중 교체는 자유롭지만, 동시에 배틀에 참가할 수 있는 건 NPC를 제외하면 다섯 명까지. 자기 길드의 다섯 명에다 다른 길드에 종자 한 명이 있다면, 뭐 확실히 유리하겠지.

"아니, 근데 카타오카 공. 당당하게 내통을 선언하는 건 어떤가 싶은데……?"

음. 쿠자타 씨의 말이 옳다. 뭐, 남 일이니까 내버려 두자.

"자자. 노조미 님을 도와주면서, 우리도 상위에 남을 수 있도록 하면 되잖아. 괜찮다니까. 일단 노조미 님한테 인사하러 갈 건데, 오늘은 올 거야?"

"아니? 그래도 확실히 정박 장소는 옆의 옆이었어."

그때, 때맞춰서 우리에게 말을 건 NPC가 있었다.

"하지만 기다려줘요—. 안녕하세요. 좋은 아침이네요."

아, 셀피다. 오늘도 수상한 철가면은 변함이 없었다.

팔짱을 끼고 포즈를 잡는 것이 정말 꺼림칙하다.

"어, 어어……."

아~ 얽히고 싶지 않네……. 부모님이 보면 부끄럽잖아—.

그걸 본 코코루의 동생 삐약이들도 이상한 게 왔다 삐약~
하고 놀랐다.

"어머. 여러분. 안녕하세요."

거기서 지나가던 아카바네가 나타났다.

주변에는 가문의 가드맨 같은 검은 옷들이 호위하고 있었다.

아, 보호자 참관 시스템에서 SP도 데려올 수 있는 건가…….

바로 뒤에는 위엄이 느껴지는 정장 부부가 있다.

이쪽이 아카바네 댁의 부모님인가? 역시 뭔가 오라가 있네.

아카바네는 평범하게 소드 댄서 장비로 이동하고 있지만,
딱히 뭐라 그러지는 않는다.

그리고 그녀 옆에는, 엄청난 꽃미남에다 키가 큰 남자가
한 명—.

이 사람도 보호자 참관 시스템으로 로그인한 가족인가?

아니, 하지만. 저 수수께끼의 꽃미남 머리 위에는 플레이
어 네임이 보였다.

아카바네 류타로(3-A)
레벨 208   소드 댄서   길드 마스터(트루 폼)

<small>진실된 모습</small>

""""뭐어엇?!""""

우리는 무심코 목소리를 높였다.

"무, 무슨 일이 있었던 거죠……?!"

나는 무심코 오라버니에게 물었다.

이쪽에서 건드리는 건 절대 엄금인 위험인물이지만, 도저히 내버려 둘 수 없었다.

평범하게 얼굴도 드러내고 있고. 게다가 엄청 꽃미남이고. 옷도 멀쩡하다!

평소에는 철가면에 스카프 머플러에 부메랑 팬츠 한 장인 왕변태인데!

이래서는 그냥 꽃미남이잖아!

우리가 아는 오라버니는 이렇지 않아아아아아아아!

"무슨 소리지? 그보다. 이번에도 여동생이 신세를 진 것 같아서 고맙다. 오늘은 정정당당히 싸우도록 하지. 자네들의 건투를 빌겠어."

이봐, 뭐야. 평범하잖아. 반대로 무서워. 아니, 평범해도 무섭지만 아무튼 이건 이상하다.

"아카바네…… 잠깐잠깐—!"

아카바네에게 손짓했다.

"뭔가요? 무슨 일 있나요?"

그녀가 오자, 우리는 원형진을 짜고는 소곤소곤 이야기를 시작했다.

"무슨 일이고 자시고—! 뭐야 저거, 병이라도 걸린 거야?!"

"맞아! 게다가 알맹이가 저게 뭐야! 무지 꽃미남인데?!"

"하지만 평소 모습이 그러니까, 조금 복잡하네."

"조금 정도가 아닌데 꼬꼬……."

"하지만 꽃미남인 건 좋은 일이라구."

"소용없는 건 아니긴 하지."

"꼬꼬~. 여자아이는 결국 꽃미남에게는 약하다 꼬꼬~."

"평소에 오라버니가 얼굴을 숨기고 있는 것도 그 탓이에요."

"무슨 뜻이야?"

"얼굴이 저렇다 보니, 얼굴을 드러내고 노출하면 여성이 반대로 좋아하는 경우가 많거든요. 오라버니는 어디까지나 꺼림칙하게 보는 시선을 원하고 계셔서— 굳이 얼굴을 가리는 거예요."

"……뼛속 깊이 노출광이네~."

"게, 게임 속에서만 그러니까…… 평소에는 정말로 다정하고 총명하다고요. 그 모습은 오라버니가 이 세상에서 유일하게 짊어진 업보라고나 할까요……."

"뭐— 그래서, 오늘은 왜 일반인인 척하는 거야?"

"아버님과 어머님이 오셨잖아요? 아무리 그래도 그 모습을 보여드릴 수는 없어요. 오라버니는 총명한 분이에요. 때와 장소는 가리신다고요."

"뭐, 확실히 부모님이 그걸 보면 우시겠지…… 아카바네의 그 차림은 괜찮아?"

평범하게 노출도가 높은 소드 댄서 의상인데?

"네? 어디에도 부끄러운 곳은 없는데요? 아버님도 어머님도 잘 어울린다고 칭찬해 주셨어요."

으음~ 그렇군. 즉, 아카바네 가는 아카바네의 소드 댄서 의상도 세이프지만, 오라버니의 변태 모습은 역시 NG라는 건가.

뭐, 허용하는 선은 집안마다 다르겠지만, 오라버니의 그건 무조건 아웃이겠지.

진짜로 부모님이 보면 우실 레벨이라니까.

"하, 하지만 기다려줘요오오오오! 그런 건 납득할 수 없어요!"

목소리를 높인 철가면이 있었다. 아, 셀피다. 그야 화내는 것도 당연한가.

아카바네의 길드로 가서 오라버니의 영향을 받아 추종자가 되었는데, 막상 시합 직전이 되자 스승이 철가면을 벗었으니까.

배신당했다고나 할까, 사다리에서 떨어졌다고나 할까—.

자기 혼자 이렇게 있으면, 냉정하게 봐서는 무척 부끄럽겠지.

"류타로 씨. 눈을 떠주세요! 누가 뭐라 말해도, 어떤 때라도 자신을 관철하는 게 진정한 아름다움이라고 가르쳐 주신 건 당신이잖아요! 자, 당신의 진정한 모습을 되찾으세요!"

그리고는 자신의 철가면을 벗어서 오라버니에게 건네주려 했다.

와~ 역시 맨얼굴은 미소녀 엘프 NPC구나. 귀엽네.

그런데 완전히 넘어가 버리다니, 불쌍하기 그지없다.

"무슨 영문 모를 소리를 하는 거냐? 너도 기묘한 차림새는 그만두고, 만인에게 부끄럽지 않을 모습으로 싸움에 임하자고."

우와, 깔끔하게 무시했어! 자기가 그 길로 끌어들여 놓고서는⋯⋯!

"으⋯⋯! 그, 그런— 그럼 난 대체 뭘 위해⋯⋯ 으아아아아아아앙!"

아, 울어버렸다. 아니 뭐, 그것도 무리는 아니지만.

"친가로 돌아갈래요오오오오오오~~~!"

셀피는 뛰어서 도망쳐버렸다.

그리고 부두 기슭까지 달려가더니 그대로 뛰어내렸다!

"아닛!?"

"꼬꼬~?! 죽는 거냐 꼬꼬?!"

"으에에에에에엑?!"

"위험해—!"

우리는 부두 밑을 바라봤지만—.

셀피는 공중에서 뭔가 빗자루 같은 걸 꺼내서 그에 올라타더니, 휘~잉 하고 떠나버렸다. 오오. 마녀 같네.

그나저나, 무사한 건 좋지만 이거 데리고 돌아올 수 없어 보이는데……?

"오오?! 아니, 근데 가버렸네. 으~음……?"

"셀피. 가버렸다 꼬꼬……."

"이거 어쩔 거야?"

"우, 우리는 어떻게 할 수가 없네—."

이거 부전패가 되나?

"아카바네. 이거 어쩔 거야?"

"어, 어쩔 거냐고 물으셔도…… 이래서는 싸울 수가 없네요. 자기 길드의 NPC와 함께 싸우는 게 룰이니까요."

"모처럼 레벨도 많이 올렸는데. 아깝네……."

"하지만 뭐, 이 싸움이 보호자 참관인 이상, 이렇게 될 것은 어렴풋이 예상하고 있었어요…… 셀피에게는 딱하게 되었지만—."

"뭘, 여동생이여. 아무 문제도 없다."

범인이 입을 열었다.

"우리 길드는 부전패가 되겠지만, 너는 이쪽 길드 팀에 참가하면 되겠지. 어떠냐? 타카시로. 괜찮겠지?"

"아니 뭐 저희는 인원 부족이니까…… 도와준다면 고맙긴 하지만요."

배틀로얄 인원 제한은 NPC 플러스 다섯 명까지고 플레이어는 언제든 교대 가능.

우리는 네 명이니까, 한 명 비어있단 말이지.

뭐, 거기에 아카바네를 빌려준다면 바라마지 않는 일이기는 하다.

더블 소드 댄서 구성은 여러 가지 일이 가능해서 애드리브가 잘 통하니까.

"그럼 여동생을 부탁하지. 나도 아버지 어머니와 함께 네가 싸우는 모습을 지켜보도록 하마. 여동생이여."

"하지만 오라버니. 저와 아키라가 함께 싸우면, 아버님과 어머님이 화내지 않으실까요?"

"지금까지는 그랬지만, 앞으로도 계속 그럴 필요는 없다는 거다. 네가 마음 가는 대로 친구가 되고 싶은 사람과 친구가 되는 걸 막지는 않아. 뭐, 내게 맡겨둬라. 너는 이 이벤트를 즐기면 돼."

"오라버니―."

아니, 뭔가 좋은 소리를 하는 것 같지만―.

평소의 그걸 봐서 그런지 전혀 머릿속에 안 들어온다고오오오오오!

"그럼 나도 관람석으로 가기로 하지. 그럼 이만."

오라버니는 부모님과 함께 관객석으로 걸어갔다.

"그럼 우리도 가마 꼬꼬~ 코코루를 잘 부탁한다 꼬꼬~."

"여러분, 잘 부탁합니다 꼬꼬~."

""""형, 힘내라 삐약~!""""

코코루 일가도 관객석으로 가는 모양이다.

"그럼 렌. 엄마네도 관객석으로 갈게에."

피치 선더호에서 내려온 우리 부모님도 관객석으로.

『자, 이제 곧 길드 대항 미션 최종 배틀로얄을 시작합니다―! 보호자 참관으로 오신 분들은 관객석으로 오세요! 선수들은 각자의 비공정으로 집합!』

오오, 나카다 선생님의 안내음성인가. 그러고 보니 중계를 한다고 했었지.

"근데 아키라가 아직 안 왔는데―."

"렌~! 얘들아! 미안, 늦었지!"

그때, 아키라의 목소리가 들렸다. 오오, 나이스 타이밍.

바라보니 정장 차림의 젊은 남자와 함께 있는 아키라가, 소드 댄서 복장이 아닌 교복 차림으로 다가오고 있었다.

이 사람이 보호자인가―? 젊은데, 오빠인가?

웃으며 손을 흔드는 아키라는 평소와 다름없는 웃는 얼굴이었다.

"늦었어요, 아키라. 벌써 집합이거든요?"

"어라, 노조미? 무슨 일이죠?"

"아니, 여러 일이 있어서 아카바네가 우리 길드 팀에 참가하게 되었어."

"아, 그렇구나—."

"아니 근데, 그렇게 정한 건 좋지만 참가를 인정해주려나? 말하러 가는 편이—."

거기서 나카다 선생님의 안내음성.

『으음~ 지금 트루 폼 소속의 아카바네 노조미 양이 데몬즈 크래프트 팀에서 싸우고 싶다는 신청이 들어왔습니다만 문제없습니다! 시스템 메뉴에서 볼 수 있는 최종 배틀로얄 룰에 나와 있듯이, 각 플레이어는 배틀로얄 시작 때 타고 있는 비공정의 길드 팀에 배속되니까요! 그럼, 배틀로얄 시작까지 앞으로 10분입니다—! 각 플레이어는 비공정에 타서 대기해 주세요.』

음. 오라버니가 선생님에게 말해준 건가?

그 오라버니, 차림새는 거시기하지만 배려심은 좋단 말이야.

"그렇군—. 그럼 비공정에 타서 대기하자! 아리마 씨는 관객석에서 봐주세요?"

"알겠습니다, 아가씨."

아, 아키라와 같이 온 남자가 공손히 답했다.

가문 사람이긴 해도, 오라버니 같은 건 아닌 것 같네. 가문에서 일하는 사람인가?

그나저나 아가씨라— 역시 아키라는 무척 좋은 집 딸이구나.

나 같은 녀석과 매일 놀아도 되는 건가—.

"아키라. 그 사람은?"

"아리마 씨야. 할아버지 대부터 3대에 걸쳐 우리 집에서 일해주고 있어."

"아가씨의 학우분들이시죠? 언제나 아가씨가 신세 지고 있습니다. 오늘도 잘 부탁드립니다."

"아, 안녕하세요—. 이쪽이야말로 신세 지고 있습니다."

우리에게도 온화한 미소를 지으며 정중하게 인사해주었다.

음— 반대로 뭔가 거북하네!

"우리 집 사람들은 오늘 다들 바빠서 못 오니까, 아리마 씨가 대신 온 거야."

"그렇구나—."

"아가씨, 하지만 괜찮으시겠습니까? 그쪽은 아카바네 가의 여식인 노조미 님 아니신지—?"

"우연이에요. 게임 안에서 정도는 현실의 일은 잊고 즐기는 게 좋지 않나요?"

"물론, 저는 아가씨가 괜찮으시다면 그래도 상관없습니다만—."

"네. 상관없어요. 아리마 씨, 걱정하실 것 없어요."

"알겠습니다. 그럼 저는 관객석으로 가보도록 하죠—. 건

투를 빕니다. 주인님께서도 아가씨의 활약을 똑똑히 지켜보라고 말씀하셨으니까요."

"고마워요, 아리마 씨. 게임에는 그리 흥미가 없으실지도 모르지만, 가능하면 즐겨주세요."

"네. 기대하고 있겠습니다."

그리고 아리마 씨는 정중하게 인사하고는 관객석으로 향했다.

"그럼 우리도 갈게. 나중에 보자~."

"봐주지는 않을 거다. 전력으로 하도록 하지."

"노조미 님! 오늘은 적팀에 있지만, 명령만 주시면 언제든지 배신할 테니까 뭐든 명령해 주세요!"

"아니, 그러니까 당당히 내 앞에서 내통을 선고하지 말라고 했을 텐데―. 아무튼 가지, 카타오카 공."

카타오카와 쿠자타 씨도 떠나서, 우리 길드 팀만 남았다.

그러자 아키라가 후우, 한숨을 내쉬었다.

"……보는 대로야. 가족은 안 왔지만 대신 아리마 씨가 보러 왔으니까, 무슨 일이 생기면 가족들에게 전해질 거야. ― 조심해서 싸워야지."

"역시 소드 댄서 장비를 보이면 곤란하다?"

"응, 분명 곤란해질 거야……."

"그런가―. 지금 생각하면 소드 댄서를 권한 내가 잘못했네. 이렇게 될 줄은 몰랐어. 미안. 성능적인 것밖에 생각하지 않아서."

"어? 렌이 사과할 필요는 없어. 결국 선택한 건 나고, 소드 댄서의 성능 자체는 마음에 들거든? 오늘만큼은 이걸로 넘어서자!"

그러면서 미믹 팬을 쫙 펼쳤다.

"이거 덕분에 넘어설 수 있게 됐어. 다들 고마워."

뭐, 이걸로 어떻게든 되겠지만— 그걸 위해 준비했으니까.

"귀찮은 이야기네요. 게임 속 모습 정도는 그렇게 눈속임을 할 필요는 없을 텐데요. 그쪽은 딱딱하다니까요."

"하아…… 노조미의 경우는 류타로 씨가 있으니까 눈에 띄지 않겠지만—."

"아니, 아키라. 그 사람 오늘은 평범한 차림새였어."

"에에에에엑?! 그럼 렌이나 다들 놀라지 않았어?"

"맞아—. 엄청 놀랐어."

"정말이라니까! 그 왕변태가 그런 꽃미남이었다니—!"

"그러게. 정말 그랬어."

"그래도 그건 그나마 나은 거야. 나는 미리 알맹이를 알고 있었는데도 그걸 본 거거든? 순간 내 눈이 이상해진 줄 알았지 뭐야."

"뭐, 알맹이를 알고 있는데 그걸 봤으면 확실히 눈을 의심하겠지……."

"앗! 그래도 류타로 씨가 평범한 차림으로 왔으면 셀피는 어쩔 거야? 혼자 철가면이면 불쌍하지 않아?"

"아, 그 사람이 모르는 척을 하는 바람에 화내며 돌아갔어."

"응. 친가로 돌아간댔어."

"그래서 NPC가 없어져서 싸우지 못하니까 부전패가 된 거야."

"우와아~ 그래서 노조미가 여기 있는 거구나! 셀피가 조금 불쌍하네."

"네— 그러니까 우리는 질 수 없어요. 뜻을 이루지 못하고 스러진 셀피의 몫까지 이겨야만 해요—!"

"아니, 스러졌다기는 좀— 일단 셀피의 몫을 우리가 짊어지는 건 거부하고 싶은데—."

"맞다 꼬꼬~ 그쪽의 이상한 오빠 때문이다 꼬꼬~."

음, 코코루여. 정론이다.

『반복합니다. 배틀로얄 시작까지 앞으로 3분입니다—! 각 플레이어는 비공정에 올라타서 대기해 주세요!』

나카다 선생님의 안내음성이 들렸다.

"다들 빨리 타자! 자, 주먹이 우네—! 우후후후후……!"

마에다가 눈동자를 빛내며 우리에게 손짓했다.

우리는 피치 선더호에 올라탔고, 이윽고—.

『그럼— 길드 대항 미션 최종 배틀로얄 함대전! 레디이이이— 고오오오오!』

자, 함대전이 시작된다!

선생님의 시작 신호와 함께, 우리의 눈앞이 크게 일그러졌다.

그리고 다음 순간, 집합 장소인 인공 부유섬을 내려다볼 수 있는 공중으로 전송됐다.

각 길드의 비공정도 마찬가지라, 각자 일정 간격에 위치하도록 워프된 모양이다.

둘러보자 인공 부유섬과 그 주변 공역을 감싸는 광대한 결계가 나타났고, 이것이 배틀 필드 범위인 것 같았다.

피치 선더호에 탄 우리는 전원 조타실에 있다.

조타실에 들어와 있지 않으면, 마에다가 니트로로 폭주할 때 떨어져서 죽으니까.

그렇게 되면 포인트는 어떻게 될까.

확실히 플레이어를 격파하면 1포인트, 코코루 같은 영웅 후보 NPC를 격파하면 5포인트다.

반대로 격파당했을 경우는, 같은 포인트만큼 마이너스를 먹는다.

그리고 제한 시간이 끝났을 때 포인트 상위 4위까지가 최종 결전— 이렇게 된다.

포인트 증감 폭이 큰 영웅 후보 NPC는 우선적으로 노려야 하고, 적도 영웅 후보부터 노릴 것이다. 그런 가운데 우리는 코코루의 힘을 아끼면서 뛰어넘고 싶었다.

본체가 약하다는 걸 들키지 않도록―.

게다가 골든 옐로 스위츠로 불러내기 위해 고용한 몬스터의 숫자는 현재 여섯. 그 가운데는 비장의 카드인 데들리 킹도 있다.

그러나 딱 한 번 불러낼 수 있는 용병 계약이니까 가볍게 사용할 수는 없다.

이 배틀로얄에서는 동료로 삼을 수 있는 몬스터가 나오지 않기에, 보충이 안 된다. 여섯 몬스터로 마지막까지 헤쳐나갈 필요가 있다.

최종 결전에서는 NPC의 힘이 더욱 중요해질 테니, 여기서는 우리가 코코루를 보호하면서 결승까지 데려가고 싶다.

그리고, 참관하러 온 아키라네 가문 사람에게 아키라의 소드 댄서 장비를 들키지 않게 행동해야 한다. 아리마 씨였던가?

이건 아키라 자신이 조심하면 되겠지만, 『미믹 팬』의 의태를 항상 유지하며 싸움을 헤쳐나갈 필요가 있다.

내가 소드 댄서를 권유하기도 했고, 이런 시시한 일로 마이 베스트 프렌드가 자퇴하게 되는 건 용납할 수 없으니까. 여기서는 반드시 지켜내야지!

"이제 움직여도 되지? 그렇지? 바로 공격할게! 괜찮지?!"

마에다가 눈을 반짝! 빛내며 말했다.

다른 길드의 움직임을 관찰하고 싶기는 했지만, 마에다가 간식이 뒤로 밀린 강아지 같아졌으니, 이쪽에서 공격해볼 수밖에 없나—!

"그래— 가자!"

"그럼— 갈게!"

철컹!

마에다가 타륜의 레버를 당겨서 니트로를 발동!

피치 선더호는 근처 적선을 향해 맹렬하게 하늘을 날았다.

마에다가 첫수에 니트로를 발동하리라는 건 전원이 예상하고 있었다.

각자 난간을 잡아서 충격에 대비했기 때문에 아무도 넘어지지는 않았다.

"눈앞에 배! 어느 길드인지는 모르지만, 드릴로 박을게!"

"가, 갑자기 들이박는 건가요?! 그, 그건 특공이고 최후의 수단인 게?!"

아카바네가 깜짝 놀랐다.

뭐, 아카바네는 팀이 달랐으니까, 피치 선더호의 실전용 세팅은 모르나.

"아니, 드릴밖에 무기가 없거든! 다른 건 다 니트로니까!"

"에엑?! 대포 같은 건 탑재하지 않았나요?!"

"돈은 다른 일로 써버려서— 이것밖에 준비하지 못했어!"

"나는 괜찮아! 성능이 특화된 쪽이 즐거우니까! 후후후……
후후후후후!"

"무, 무섭잖아요! 정말로 당신은 핸들을 잡으면 성격이 변
하네요……!"

아카바네가 조금 기겁했다.

그러나 마에다는 전혀 아랑곳하지 않았다.

"자, 맞을 거야. 충격에 대비해! 돌겨어어억!"

콰아아아아아아아아아앙!

피치 선더호는 적선의 배때기를 향해 고속으로 돌진했고,
골든 드릴이 문자 그대로 바람구멍을 뚫었다.

저쪽의 피해가 물론 크지만, 니트로를 켠 드릴 어택으로
인해 이쪽도 상당한 충격을 받았다.

그 탓에―.

렌은 250의 대미지를 받았다!
아키라는 250의 대미지를 받았다!
코토미는 250의 대미지를 받았다!
유우나는 250의 대미지를 받았다!
노조미는 250의 대미지를 받았다!
코코루는 250의 대미지를 받았다!

으윽……! 충격으로 전원이 대미지를 받았나—.

뭐, 우리는 이미 HP 2000대는 되니까 크게 아프지는 않다.

그러나—.

"꼬꼬~…… 삐약삐약~ 삐약삐약~ 꼬꼬……."

우왓! 코코루가 삐약거리고 있어!

코코루는 HP가 적으니까…… 이거 몇 번씩 하면 그냥 죽겠는데!

"코코루, 괜찮아?!"

아키라가 당황하며 회복을 날렸다.

"고, 고맙다 꼬꼬~! 그래도 아팠다 꼬꼬~!"

"일격사만 하지 않는다면 몇 번 회복을 끼워 넣으면 문제없을 거야!"

"히이이이이익?! 꼬꼬~!"

"우와아, 코토미 스파르타야!"

"타카시로만큼 무모하지는 않아."

"으음—! 반론하기 곤란하네!"

"뭐, 렌은 반론할 수 없겠지~. 그래도 괜찮아, 제대로 회복시켜줄 테니까."

"응응. 나도 회복 있으니까, 이 파티 쓸데없이 회복수단은 풍부하잖아."

뭐, 나와 코코루 말고는 전원 회복수단을 가졌지.

"그럼 신경 쓰지 말고 가자!"

마에다가 다시 니트로 드릴 어택을 펼치기 위해 키를 돌리려 했다—.

그러나, 배때기에 바람구멍이 뚫린 적 비공정 조타실에서 어떤 사람이 갑판으로 나왔다.

그리고, 있는 힘껏 이쪽에 고함을 질렀다.

"이것들아~~~~~! 너희는 대체 무슨 짓을 하는 거야아아아아아아아아~~~!"

아, 호무라 선배다…….

저질렀다—!

동맹하자고 약속했는데, 첫수에서 팀킬이라니!

선배들의 배, 구멍이 뻥 뚫려서 두 쪽으로 갈라질 것 같은데……?!

우와아아아. 호무라 선배 화났겠네…….

"앞으로 나와~~! 동맹하자고 했잖아?!"

나는 갑판으로 나와 사과했다.

"죄송합니다 죄송합니다 죄송합니다! 알아채지 못해서, 그만……! 동맹을 깬다든가 그럴 생각은 전혀 없어요! 진짜로 불행한 사고라서, 죄송합니다아아아아!"

"정말이지?! 다음에 또 이러면 정말로 이성 잃을 거야!"

"이제 안 해요 안 해요. 미안합니다 미안합니다!"

꾸벅꾸벅 몇 번이고 고개를 숙였다.

다른 일행들도 갑판으로 나와서 전원이 사과했다.

"미, 미안해. 타카시로. 내 잘못인데—."

핸들을 떼고 냉정해진 마에다가 겸연쩍은 듯 사과했다.

"나도 가자고 했고, 몰랐으니까. 뭐, 다음부터 조심하자."

예전에 호무라 선배의 비공정을 한번 보기는 했었는데, 이렇게 숫자가 많으면 못 알아본단 말이지.

개막이라 텐션도 올라갔었고, 느닷없이 니트로로 초가속한지라 놓치기 쉽기도 했다.

"고마워. 이제 실패하지 않을게."

"꼬꼬~. 렌은 다정하다 꼬꼬~."

"아니아니, 나도 너무 하고 싶은 대로 해서 민폐 끼치는 적이 꽤 많으니까. 상부상조라는 거지."

게다가 일단 길드 마스터니까.

"그럼 선배, 죄송했습니다! 지금부터는 협력 플레이로 부탁드릴게요!"

"알았어. 그쪽도 힘내라고—!"

좋았어, 다시 한 번 조타실로 돌아가서—.

그렇게 생각한 우리의 귓가에 굉음이 들렸다.

두우웅! 두우웅! 콰아아아아아아앙!

원거리에서의 포격이었다. 그게 갑판에 착탄해서 화염과

폭풍을 흩뿌렸다.

폭풍으로 몸이 떠올라서, 우리는 조타실 외벽에 처박혔다.

렌은 310의 대미지를 받았다!

아키라는 310의 대미지를 받았다!

코토미는 310의 대미지를 받았다!

유우나는 310의 대미지를 받았다!

노조미는 310의 대미지를 받았다!

코코루는 310의 대미지를 받았다!

전원에게 대미지 로그가 보였다.

"아야야—! 다들 괜찮아—."

"꼬끼오오오오~~~~?!"

말이 끝나기도 전에 코코루의 비명.

코코루는 운 나쁘게도 벽에 부딪혀서 멈추지 않고, 배 바깥까지 날아가고 말았다.

이거, 떨어지나—?!

"코코루!"

근처로 날아갔던 아키라가 도와주기 위해 손을 뻗었다.

어떻게든 코코루의 깃털을 잡는 데 성공했지만, 무거운지 균형을 잃고 같이 떨어질 것만 같았다.

"레, 렌. 빨리 도와줘~~!"

"그래! 나이스야 아키라!"

나는 아키라에게 달려가서 뒤에서 몸을 끌어안아 버렸다.

엄청 밀착했고, 엄청 부드럽지만 성희롱은 아니라고! 불가항력이야!

그러나 내게는 이득을 즐길 여유가 주어지지 않았고―.

콰아아아아아아앙!

다시 근처에서 대포가 착탄!

렌은 310의 대미지를 받았다!

아키라는 310의 대미지를 받았다!

코코루는 310의 대미지를 받았다!

말려든 것은 우리 세 명뿐이었다.

그러나, 이번에야말로 그 충격으로 세 명이 함께 배 밖으로 떨어졌다.

"와아아아아아아악?!"

"꺄아아아아아악?!"

"꼬끼오~~~~~!"

우리는 어쩔 방도도 없이 낙하산 없는 스카이다이빙 상태에 빠졌다!

히에에에엑! 풍압이 엄청나! 이 낙하감도 엄청나! 등골이 오싹오싹해!

유원지의 번지 점프 같은 건 상대도 안 되는 공포감!

게임인데 이렇게 체감이 현실적이라니, 굉장해!

"히에에에에엑~~~!"

아무리 나라도 무서워서 비명이 나왔다.

"우와아아아아아! 하늘이 예뻐! 박력 엄청나아아아아!"

그러나 마이 베스트 프렌드는 좋아하고 있었다! 용케 멀쩡하네!

"유사 스카이다이빙이네! 즐거워어어어어! 현실에서는 흥미가 있어도 절대 못하게 했거든!"

"게임이라도 현실이라도 나는 흥미 없습니다마아아아안~~!"

"이제 어쩔 도리가 없으니까, 즐기는 게 좋잖아! 이것도 절경이네, 스샷 찍을까~?"

그러면서 공중에서 카메라 촬영을 시도하려 했다.

역시 절경 마니아는 어떤 때라도 절경에는 탐욕스럽네!

그러나 그건 그렇다 치고, 아키라와 이야기를 하다가 내 안에서 번뜩인 것이 하나.

이제 어쩔 도리가 없다. —하지만 그게 아닐지도 모른단 말이지!

"야, 코코루! 그거 부르자! 프로스트 이글!"

코코루의 골든 옐로 스위츠로 불러낼 수 있는 몬스터다.

레벨 77의 일반 몬스터로, 데들리 킹에 비하면 약하지만 이 녀석은 날 수 있다.

게다가 플레이어를 등에 태우는 것도 가능.

이런 일도 있을까 싶어서 날 수 있는 몬스터를 동료로 삼았다.

갑작스럽지만, 여기서 도움이 되어달라고 하자—!

그러나……!

"아빠, 엄마— 먼저 떠나는 불효자를 용서해주세요 꼬꼬……."

코코루의 몸이 명멸하고 있었다!

"앗?! 야, 코코루? 코코루~~~~~!"

잘 보니, 아까 보였던 대미지 로그에는 다음 글귀가 있었다.

코코루는 310의 대미지를 입었다! 코코루는 힘이 다했다…….

포격 대미지로 죽었어어어어어! HP가 낮은 게 독이 되었나……!

코코루의 모습이 소멸. 그리고 시스템 통지를 알리는 소리가 삐롱.

데몬즈 크래프트의 코코루 선더스가 격파되었습니다. 전공 포인트 −5.

데몬즈 크래프트의 합계 전공 포인트는 −5입니다. 현재 48/48위입니다.

와아, 최하위냐! 세심하게도 로그 윈도우 글자만이 아니라 시야 끝에 순위도 펑 하고 크게 표시되었다.

레이싱 게임의 현재 순위표 같은 식이다.

뭐, 편리하긴 하지만 48/48을 보게 되니까 조금 초조해지네.

아니, 그것보다도—.

"아~ 이거 이제 어쩔 도리가 없네!"

"아하하하! 이제 될 대로 되라~! 뭐, 지금부터 만회하면 되지!"

정말이지, 아키라 씨는 즐거워 보인다. 용케 이런 공포 체험을 즐길 수 있네!

그리고, 이윽고 내 시야는 새까매졌다.

이후—.

데몬즈 크래프트의 타카시로 렌이 격파되었습니다. 전공 포인트 −1.

데몬즈 크래프트의 아오야기 아키라가 격파되었습니다. 전공 포인트 −1.

데몬즈 크래프트의 합계 전공 포인트는 −7입니다. 현재 48/48위입니다.

응, 장외 아웃! 이건 어쩔 도리가 없었다!

그리고 눈앞이 새까매지며 격파수 로그가 나왔고, 다음 순간—.

"오?! 돌아왔어?"

옆에는 아키라와 코코루가 있고, 우리 세 사람은 피치 선더호에 재배치되었다.

과연. 격파되면 각자의 비공정 위로 부활하는 건가.

그럼 비공정 자체가 격파되면 어떻게 될까?

뭐, 시험해볼 생각은 들지 않지만—.

"그렇구나. 당하면 여기에 부활하는구나."

"꼬꼬…… 무서웠다 꼬꼬…… 코케족은 못 난다 꼬꼬~."

"……."

뭐, 코코루는 낙하사가 아니라 포격 대미지로 죽었지만…….

멀리서는 낙하사로 보였을 테니까, 오히려 카모플라주가 되어서 다행이긴 하다.

그나저나 포인트는 −7이다. 지금부터 만회해야겠지. 아직 시간은 있어!

"시작하자마자 최하위가 돼버렸잖아!"

"지금부터 만회하면 문제없어요. 이제 막 시작됐으니까요!"

"그래—. 멈추면 표적이 되어 얻어맞으니까, 일단 떨어져서……."

충돌한 피치 선더호와 호무라 선배네를 노리는 포격은 아직도 계속되고 있었다.

약간 떨어진 위치에서, 몇몇 비공정이 이쪽으로 포문을 돌리고 있다.

"응, 알았어. 서두를게!"

마에다가 조타실에 뛰어들었다.

호무라 선배네 비공정도 상당히 손상됐지만 아직 움직일 수는 있는 모양이다.

우리도 거리를 벌리기 위해 나아갔다.

"다들 안으로 들어와! 니트로로 단숨에 이탈할게!"

마에다의 목소리에 따라 우리도 안으로 들어갔다.

니트로 발동 때는 갑판에 있으면 떨어져서 장외 아웃이니까.

"간다!"

철컹!

동시에— 선수 방향으로 거대한 무언가가 날아왔다.

끄트머리가 창처럼 뾰족한 금속구가 달린 거대한 사슬이었다.

사슬 달린 앵커인가!

그것이 피치 선더호를 휘감았다.

덜컹! 기체가 흔들렸다.

니트로를 발동한 피치 선더호가 더는 나아가지 못했다.

"큭—! 앞으로 가지 않아!"

앵커가 휘감은 탓에 움직임이 봉쇄됐다.

그나저나 우리의 니트로 돌진력을 막아 세운 건─.

앵커가 뻗은 곳을 바라보자, 꽤 커다란 중전투 모델 비공정이 우리와 포격을 가하는 비공정들 사이로 끼어들었다.

그리고 사방에 앵커를 날려서 움직임을 봉쇄했다.

저쪽이 훨씬 선체가 크고 마력이 강하기 때문에 니트로 돌진도 봉쇄되고 말았다. 이쪽은 발은 빠르지만 소형 고속정 모델이라 저쪽을 끌고 갈 만한 힘은 안 나오니까.

그나저나 이 광경, 어디서 봤는데─.

"뭔가, 첫날의 비공정 습격 이벤트가 떠오르는데."

"아앗! 그래, 그거구나─."

그때도 이런 식으로 적이 앵커를 타고 비공정에 올라탔었다.

그리고, 올라탔던 레어 몬스터를 쓰러뜨리자 아키라의 애검 스카이 폴을 떨궜다.

"그렇다면 이거, 상대 비공정에 박아서 움직임을 막고 쳐들어오기 위한 전투용 파츠인 건가─."

"포격전을 거부하고, 백병전으로 몰고 가고 싶은 사람용이네."

"어설트 앵커라는 공격계 확장 파츠에요. 지금 말이 나온 그대로의 용도죠."

아카바네의 보충. 오오, 알고 있었나.

"과연. 그렇게 들으니까, 왠지 느닷없이 이걸 쓰려는 사람이 누군지 짐작이 가는데─."

"아하하…… 그러게."

"웃기 선배 아냐?"

"그러게—! 이렇게 사방팔방 꽂아봤자 각 길드의 인원은 같으니까 대병력으로 밀어붙이지는 못하는데도 일부러 저러고 있잖아."

병력에 압도적인 어드밴티지가 없는 이상, 앵커로 묶은 각 배 사이에서 백병전에 의한 난전이 벌어질 뿐이지 반드시 자신들이 유리하리라고는 할 수 없는 행동이다.

"일부러 이런 걸 한다는 건, 하고 싶으니까 하는 거니까— 즉, 그런 취미라고밖에 할 수 없어. 저 녀석들, 백병전을 좋아하는 거야! 그렇다면 유키노 선배의 짓이겠지."

유키노 선배네 길드는 대인전충이 모인 곳이니까!

"후훗. 스노우답네요—!"

아카바네가 대담하게 웃었지만—.

어? 아니, 그거 여기서 말해도 돼?! 위험하지 않아?!

"에에에에에에엑?! 노조미, EF의 유키노 선배 캐릭터명 알고 있었어요?! 그럼 노조미도 EF를 했던 건가요!"

"어, 그게…… 저기—."

거봐, 바로 물고 늘어지잖아!

아카바네는 은근슬쩍 덜렁댄다니까……!

이거 스칼렛이라는 것도 들킨 거나 다름없네…….

뭐, 최근에는 친해졌으니까 딱히 문제는 없겠지.

"그, 그 이야기는 나중에 해요—! 지금은 이 싸움에 집중하죠!"

"그래. 그러는 게 좋겠어!"

나도 커버해줬다.

아키라도 딱히 불만은 없었는지 아무 말도 하지 않았다.

"마에다! 이대로 반전해서 저쪽으로 돌진하자! 앵커 탓에 도망칠 수 없다면, 반대로 이쪽에서 가주자고. 난전이라면 포인트를 벌 기회도 될 거야!"

"알았어—! 갈게!"

마에다가 타룬을 빙글빙글 돌렸고, 피치 선더호는 반전해서 선수를 중전투 모델 비공정으로 돌렸다.

"돌격!"

철컹! 철컹! 철컹!

마에다는 단숨에 니트로 레버를 3연타로 당겼다.

피치 선더호는 3중 니트로의 초고속으로 대상에게 돌격.

선수에 붙은 골든 드릴이 훌륭하게 맞았다.

렌은 420의 대미지를 받았다!

아키라는 420의 대미지를 받았다!

코토미는 420의 대미지를 받았다!

유우나는 420의 대미지를 받았다!

노조미는 420의 대미지를 받았다!

코코루는 420의 대미지를 받았다!

또 드릴 어택의 반동이! 게다가 3중 니트로 탓에 대미지가 늘었잖아!

"꼬꼬⋯⋯! 아아⋯⋯ 별님이 보인다 꼬꼬~⋯⋯."

코코루가 또 위험해—! 그러나 어떻게든 죽지 않고 버텨냈다.

죽지만 않으면 상관없기에, 일행들이 단숨에 회복을 뿌렸다.

이걸로 우리는 전부 회복!

그리고 시스템 통지가 삐롱.

적 플레이어를 격파했습니다. 데몬즈 크래프트의 전공 포인트 +1.

적 플레이어를 격파했습니다. 데몬즈 크래프트의 전공 포인트 +1.

데몬즈 크래프트의 합계 전공 포인트는 −5입니다. 현재 40/48위입니다.

오, 지금 드릴 어택으로 장외로 날아갔든가, HP를 깎았든가 해서 포인트가 조금 들어왔다!

"좋아, 포인트 들어왔어! 이 상태로 가자고! 일단 저쪽으로 쳐들어가자!"

"좋~았어. 지금부터 백병전이네⋯⋯! 그럼 이 녀석을 쓸

차례가 왔나—!"

아키라가 『미믹 팬』을 들었다.

지금까지는 비공정끼리의 싸움이어서 아직 의태는 쓰지 않았기에 교복 차림이었다.

입은 대미지도 방어력과는 상관없는 것이었기에 그래도 상관없었지만—.

다른 플레이어와 직접 싸우는 백병전이라면 방어구 성능이 역시 중요해진다.

제대로 된 방어구를 입지 않으면 싸울 수 없지만, 소드 댄서의 제대로 된 방어구는 노출도가 높으니까.

천 면적이 줄어드는데 방어력이 올라가다니 참 게임다운 판타지지만, 아무튼 참관하러 온 아리마 씨에게 그걸 보여주면 아키라가 곤란하므로 의태로 모습을 감추면서 싸워야만 한다.

각 길드가 싸우는 모습은 관객석에서 모니터링할 수 있는데, 구체적으로 어느 각도의 영상을 보여주는지는 모르겠지만 그 모습을 보이면 한 방에 아웃이라고 생각하는 게 좋다.

뭐, 모니터링할 수 없으면 관객석에서 보는 사람은 뭐가 뭔지 모를 테니까.

"아키라, 코코루가 되어줘!"

내가 리퀘스트했다.

그저 아키라네 가문 사람의 눈을 속이는 것도 좋지만, 그걸로만 끝내면 모처럼 있는 의태가 아깝다.

코코루로 의태하면 아키라가 전면에 나와서 코코루 본체를 온존할 수 있다.

그러면 진짜 코코루가 종이 장갑이라는 걸 은폐할 수 있으니까.

코코루의 동료 몬스터 소모도 억누를 수 있다.

"알았어. 기왕이면 화려하게 미끼가 될게!"

그리고 『미믹 팬』으로 코코루를 찰싹 때려서 준비 완료.

이걸로 『미믹 팬』이 코코루의 모습을 기억했다.

마지막으로 공격을 날린 상대로 의태하는 효과다.

효과 시간은 600초니까 그럭저럭 길다.

의태가 끊어지면 다시 걸 수도 있으니까.

"렌~ 나는 어쩔까 꼬꼬?"

"들키지 않게 어디 숨어있어! 전력 온존이야! 만약 들켜서 적이 그쪽으로 오면, 프로스트 이글을 불러서 하늘로 피난해. 네가 당하면 포인트 손해가 제일 크니까, 안전제일로 가자!"

"아, 알았다 꼬꼬~."

NPC의 격파점은 플레이어의 다섯 배니까 틀림없이 우선적으로 노리게 될 거다.

어떻게 이쪽의 NPC를 지키면서 적 NPC를 격파하느냐가 이 싸움의 열쇠다.

"간다! 코코루가 되어라~!"

펑 하고 연기가 솟구치면서 아키라가 코코루로 모습을 바꿨다.

"장비 변경, 세트 A!"

아키라는 그렇게 외쳐서 장비를 바꿨다.

이번 싸움을 위해 『이큅 링』도 추가로 준비했으니까.

이큅 링

　종류 : 액세서리　　장비 가능 레벨 : 10

　특수 성능 : 장비 변경을 음성에 의한 쇼트커트로 행할
　　　　　　수 있다.

　　　　　　탤런트 『퀵 체인지』와 동일한 효과.

이른바 『갈아입기』를 가능케 하는 장비다.

무기 파괴 뒤에 합성해서 재장비하는 작업을 원활하게 돌리기 위해 나도 애용하고 있다.

장비를 검 이도류로 바꾸고, 방어구도 소드 댄서의 전투용 장비로 바꿨을 거다.

그러나 어디까지나 외모는 코코루이므로, 무기 말고는 변화가 없다.

의태 효과가 끊어지거나, 진심으로 위험할 때는 보이기 전에 교복으로 장비를 돌려놓으면 된다. 시스템 윈도우에서 그걸 조작하면 늦겠지만, 『이큅 링』으로 갈아입는 거라면 늦지 않는다.

『이큅 링』의 추가 구입은 안심, 안전을 위한 보험이기도 했다.

돈으로 사니까 꽤 비쌌지만, 마이 베스트 프렌드를 위해서는 싼 셈이다.

마에다와 야노도 사는 게 좋다고 말해줬으니까.

"좋았어, 다들 가자!"

"오~! 쳐들어가자~!"

"원호할게!"

"이런 거 공적 같네!"

"행실은 좋지 않지만, 조금 즐겁네요!"

"다들 힘내라 꼬꼬~!"

우리는 코코루를 남긴 채 조타실에서 갑판으로 나왔다.

그대로 어설트 앵커로 이어진 적선 갑판으로 올라섰다.

갑판에는 어설트 앵커의 발사대가 설치되어 있고, 그 위에 HP 바가 보였다.

"응……? 뭐야, HP 바가 보이는데—."

"저기를 공격해서 HP를 0으로 만들면 앵커의 구속이 풀려요."

"아까부터 어설트 앵커를 잘 아네. 아카바네."

"네. 우리도 저걸 쓰려고 해서 준비해놨었거든요. 결과적으로 무용지물이 되어버렸지만—."

"아, 셀피가 친가로 돌아갔으니까……."

"그렇죠…… 지금은 제 아이템 박스에 있으니까, 뭣하면 사용해도 좋아요."

"그래, 나중에 써볼까—!"

아직 피치 선더호의 확장 파츠 슬롯에는 공백이 있으니까.

니트로 차저를 두 개 돌려주고 빈 슬롯 중 하나에 내가 만든 골든 드릴을 달아서, 한 칸이 비었다.

하지만 일단 지금은 이 선상에서의 백병전이다.

"후후후……! 반대로 돌격해오다니 배짱 좋구나! 역시 렌이다!"

그렇게 말하며 모습을 드러낸 것은, 역시 예상대로 유키노 선배였다.

"유키노 선배! 역시 유키노 선배였나요—."

"흐음? 용케 알아챘구나!"

"그야 딱히 어드밴티지도 없는데 느닷없이 어설트 앵커를 사방에 날려서 백병전을 하려고 하니까, 백병전이 취미인 사람인가 해서."

"훗. 바로 그거다! 이런 특수한 환경에서의 대인전도 좋은 법이지. 얼마 전과는 레벨대도 다르니, 다른 전투를 즐길 수 있으니까! 자, 렌. 싸우자!"

유키노 선배가 기뻐하면서 이도류 도끼를 들었다.

"유키노! 코코루는 내가 해치우게 해줘!"

유키노 선배 옆에 귀여운 수인 미소녀 NPC가 섰다.

미코토 코플이다. 레벨은— 78! 으음, 꽤 강하네.

이 아이도 드래프트 때는 셀피와 인기를 양분했던 드래프트 1순위 후보였다.

셀피 쪽은 그렇게 되고 말았지만—.

드래프트 때는 주목을 받아도 막상 프로에 들어서면 어떻게 될지 진짜 모른다니까. 아니 뭐, 현실 야구로 비유한 거지만.

그러나 이 아이는 유키노 선배 밑에서 제대로 육성된 모양이다.

"레벨 100이라니 용케 노력했네! 자, 네 힘을 보여줘!"

"후후후— 후회해도 모른다 꼬꼬……!"

차킹! 하고 이도류를 꺼내든 코코루 —의 모습을 한 아키라.

오오, 목소리 흉내도 괜찮네. 목소리는 복사되지 않는데 말이지.

혹시 혼자서 연습한 건가?

"자신만만하네. 믿음직해졌잖아."

미코토는 그렇게 말하면서 자기 키만 한 거대한 양손도끼를 들었다.

드세게 나가는 건 알맹이가 아키라니까—!

그나저나 키가 작고 날씬한데, 저런 걸 붕붕 휘두르는 건가.

유키노 선배도 한손도끼지만 도끼 장비이기에, 둘이서 나란히 서니 통일감이 있다.

선배가 이도류로 들고 있는 도끼는 저번 봄의 신인전 때와 비슷한 디자인이지만, 이번에는 좌우가 다른 도끼였다.

특히 오른손에 든 도끼는 도신이 반투명에다 색상이 에메랄드그린이라서 예뻤다.

저건 꽤 레어 장비인 것 같은데—?

아니, 그렇게 단정하는 건 위험한가. 겉으로만 그럴싸하고 별것 아닌 성능의 무기도 온라인 게임 세상에는 넘쳐나니까.

사람들은 그걸 산폐라고 하는데—.

오히려 좋은 장비에다 겉모습도 겸비한 경우가 적을지도 모른다.

겉보기는 촌스럽지만 성능이 좋고, 입수 난이도도 적절한 장비가 대량으로 나돈 결과, 다들 촌스러운 장비로 세계를 활보하게 되는 그림도 은근히 자주 보인단 말이지.

나도 체험한 다른 게임 이야기인데, 장비하면 공격 속도 같은 게 빨라지는 근사한 머리 장비가 엄청나게 촌스러운 터번이었던 적이 있었다.

그때는 온 세상의 플레이어가 갑옷 위에 터번을 쓰고 있었지…….

하지만 성능에는 이길 수 없는 법이라, 다들 터번인 게 정말 이상했었다!

아키라도 투덜거렸지만, 그때는 우락부락 수인 캐릭터에 지나지 않았기에 오히려 터번이 어울리는 편이었다.

너는 오히려 어울리니까 불평하지 말라면서 흘려버렸었지.

뭐, 이런 온라인 게임의 흔한 이야기는 접어두고, 상대는 유키노 선배다. 겉보기만 그럴싸하고 도움이 안 되는 무기로 싸움에 임할 리가 없다.

이 전장에서의 퍼포먼스를 추구하며 한껏 고민해서 고른 무기일 게 틀림없다.

방심은 금물이지!

"자, 간다! 코코루!"

"아니, 오히려 이쪽에서 간다 꼬꼬!"

아키라 코코루가 미코토에게 돌진했다!

내려친 검과 양손도끼가 부딪히며 까앙 하는 금속음이 들렸다.

아키라의 선제공격이지만, 미코토가 확실히 가드했다.

게다가 가드 대미지도 발생하지 않았다.

양손 무기는 방패 정도는 아니지만 가드 성능이 높으니까.

반면 한손 무기의 가드 브레이크 성능은 낮은 편이다.

한손 무기의 일격으로는 양손 무기의 가드를 돌파하기 꽤 어렵다.

"아키라는 없나—. 이봐, 조타수는 돌아가서 어설트 앵커를 계속 돌려라!"

"예, 보스! 알겠슴다!"

한 명이 이탈해서 조타실로 돌아갔다.

"후후후— 인원을 맞춰줬다, 렌! 자, 승부다!"

"감사함다! 하지만 이쪽도 사양하지는 않는다고요!"

"물론이지! 간다! 『섀도 슬레이브』!"

나왔구나, 분신!

이도류에 분신이라니, 정말 마검사는 축복받았다니까.

게다가 저번 레벨대에서는 분신이 둘이었지만, 이번에는 분신이 셋으로 늘었다.

이 늘어난 분신을 벗겨서 오의를 먹이지 않으면 내게 승산은 없지만—.

이번에도, 작전이 없는 건 아니다! 해내겠어!

노답스의 왕으로서는, 마검사 같은 우대 직업을 추월해주는 게 쾌감이란 말이지.

"하아아아아아아앗!"

선배가 왼쪽 도끼를 내게 투척! 토마호크계 아츠인가!

나는 으르렁대면서 날아오는 도끼를 다마스쿠스 스틱 베이스인 지팡이칼로 가드했다.

렌은 가드. 12의 대미지.

결과적으로 가드 대미지가 발생. 그러나 아프지는 않다.

그러나 선배도 그건 이미 파악하고 있었다. 토마호크는 어디까지나 견제, 도끼를 던진 동시에 그걸 따라 달려와서 가

드한 내 눈앞으로 돌진해왔다.

간격에 들어오자, 즉시 상단 발차기가 날아왔다!

이대로 가드 자세를 유지하면 가드 가능하지만—.

"에에에잇!"

나는 일부러 몸통박치기의 유일한 일반 공격인 평범한 숄더 차지를 날렸다!

유키노의 공격. 렌에게 45의 대미지!
렌의 공격. 유키노의 분신이 하나 사라졌다.

유키노 선배의 공격은 클린 히트. 내 공격은 분신으로 회피당했다.

하지만 이거면 된다—!

"음……?! 분신을……?! 그렇군. 몸통박치기는 회피 불가인가?!"

"그렇죠!"

평범한 공격이었다면, DEX를 완전히 버린 내 공격이 순수 AGI가 높은 유키노 선배의 마검사에게 맞을 리가 없다.

공격이 회피당하면 분신을 날려버릴 수도 없지만, 회피 무효인 격투·몸통박치기의 일반 공격인 숄더 차지라면 이야기는 다르다. 접근하기만 하면, 쓰기만 해도 확실하게 분신을 하나 벗겨낼 수 있다!

"게다가 대미지도 전보다 줄었어……!"

"VIT 몰빵이니까요!"

토마호크를 잡은 선배의 왼쪽 도끼가 떨어졌다.

나는 그것에도 숄더 차지를 맞췄다.

유키노의 공격. 렌에게 67의 대미지!
렌의 공격. 유키노의 분신이 하나 사라졌다.

"좋은 조합이구나……! 몸통박치기를 이렇게까지 살리는 건 너뿐일 거다. 재미있어! 역시 렌이야!"

"감사함다~!"

선배의 모션은 도끼 공격의 기세를 그대로 살려 회전, 돌려차기로 연결되었다.

나는 거기에도 질리지 않고 숄더 차지!

그저 우직하게 숄더 차지다! 난 이것밖에 없으니까!

유키노의 공격. 렌에게 62의 대미지!
렌의 공격. 유키노의 분신이 하나 사라졌다.

"전보다 버거워졌군— 하지만!『섀도 슬레이브』!"

분신 부활인가—! 역시 손패도 많고 탤런트『투신의 숨결』도 있으니까, 선배의 분신은 끝을 모르겠네.

"그 정도로는 내 방어를 뚫을 수 없다!"

"……그렇겠죠!"

일대 일로 분신을 모두 지우면서 오의를 맞히는 건 쉽지 않다.

몇 명이 덤벼서, 일행들에게 분신을 지우게 부탁하고 그 빈틈을 노린다면 모를까—.

그러나 아키라는 미코토와 일대일 배틀 중이고, 마에다와 야노와 아카바네 쪽도 유키노 선배네 길드의 다른 세 명이 붙고 있어서 3 on 3 상태다.

나는 나대로 어떻게든 해야만 한다.

그때, 유키노 선배가 뒤로 크게 도약, 나와 거리를 벌렸다.

"렌— 지금부터 내가 이 게임 안에서 꽤 마음에 들었던 오의를 보여주마! 기대하고 있어라……! 저번에는 레벨이 부족해서 쓰지 못했으니까!"

으흠……?! 그거 기대되는데.

선배가 마음에 들 정도라면, 분명 굉장할 게 틀림없다! 순수하게 재미있을 것 같다.

내가 주시하는 가운데, 선배는 도끼를 크게 들어서 투척 자세를 잡았다.

그 몸이, 오의 발동의 오라에 휩싸여 눈부시게 빛났다.

"간다, 오의 『인피니티 리버스』!"

빛나는 오라에 휩싸인 도끼가 선배의 손에서 날아왔다.

"이건가—?!"

선배가 마음에 든다는 오의가?!

확실히 이펙트는 화려하지만, 궤도는 아까의 토마호크계와 같은 것 같은데—?

피하려면 피할 수 있다— 그러나, 나는 일부러 가드했다.

의도적으로 가드 대미지를 입어서 AP를 모으려는 것이다.

이번에는 『패리 링』을 장비하지 않아서, 완전 가드해버리면 AP가 모이지 않는다.

그래서 지금까지도, 아직 내 손에 있는 가드 성능 최강인 광신자의 지팡이를 일부러 쓰지 않고 가드 대미지를 받고 있었다.

1이라도 좋으니까, 대미지를 받으면 공격을 맞았다는 판정이라 AP가 조금 쌓인다.

이건 대미지와 상관없이 타격당 받을 수 있는 거라, 이상적인 건 1대미지를 대량으로 받는 것이다. 지금까지는, 뭐 좋은 느낌이었다.

곁눈질해 보니, 본래 소유자인 야노는 『패리 링』을 달고 적의 공격을 가드하고 있다. 『습득의 증표 〈방패〉』 탤런트를 가져서 방패 장비를 할 수 있으니까, 야노는 『패리 링』과의 상성이 나 이상으로 좋단 말이지.

"좋아— 가드!"

나는 다마스쿠스 스틱 베이스인 지팡이칼로 빛나는 토마

호크를 가드했다.

유키노의 인피니티 리버스가 발동. 렌은 가드. 17의 대미지.

좋아좋아—! 그러나⋯⋯.

유키노의 인피니티 리버스가 발동. 렌은 가드. 17의 대미지.
유키노의 인피니티 리버스가 발동. 렌은 가드. 17의 대미지.
유키노의 인피니티 리버스가 발동. 렌은 가드. 17의 대미지.
유키노의 인피니티 리버스가 발동. 렌은 가드. 17의 대미지.
유키노의 인피니티 리버스가 발동. 렌은 가드. 17의 대미지.

으응?! 이거 한 방 맞으면 돌아가는 거 아니었어?!
내 지팡이칼에 막혔는데도 끼릭끼릭 계속 회전하고 있다!

유키노의 인피니티 리버스가 발동. 렌은 가드. 17의 대미지.
유키노의 인피니티 리버스가 발동. 렌은 가드. 17의 대미지.
유키노의 인피니티 리버스가 발동. 렌은 가드. 17의 대미지.
유키노의 인피니티 리버스가 발동. 렌은 가드. 17의 대미지.
유키노의 인피니티 리버스가 발동. 렌은 가드. 17의 대미지.
유키노의 인피니티 리버스가 발동. 렌은 가드. 17의 대미지.

유키노의 인피니티 리버스가 발동. 렌은 가드. 17의 대미지.

유키노의 인피니티 리버스가 발동. 렌은 가드. 17의 대미지.

유키노의 인피니티 리버스가 발동. 렌은 가드. 17의 대미지.

끼릭끼릭끼릭끼릭끼리이이이익!

아니, 응 AP는 대량으로 모이고 있지만!

아직도 멈추지 않고 있잖아—!

이런 생각을 하는 사이에도 시야가 가드 대미지 로그로 메워지고 있는데!

아니, 이거 무섭잖아! 진짜로 죽을 때까지 멈추지 않는 건가?!

HP가 좀 위험해졌는데! 남은 건 1000 남짓이다!

원래 2000이 넘었으니까, 이제 50퍼센트 정도다!

"우오오오오?! 이 녀석, 잠깐 기다리라니까!"

아무리 나라도 도끼를 밀어내면서 옆으로 뛰어서 피하지 않을 수 없었다.

그러자 도끼는 빙글 선회하면서 다시 내게 돌아왔다.

"유도탄?!"

속도 자체는 그리 빠르지 않다. 피하려면 피할 수 있다.

그러나 녀석은 포기하지 않는다. 내가 피해도 다시 궤도를 수정해서 날아온다.

"어떠냐, 렌. 재미있지?! 그 녀석은 몇 번이고 선회해서 너를 쫓을 거다! 즉, 무한— 인피니티인 셈이지!"

"과연—! 확실히 재미있는 오의네요!"

그래도 효과 시간이나 뭔가 다른 모종의 소멸 조건은 있겠지만—.

지금 당장 그걸 알아낼 수는 없잖아⋯⋯!

유키노 선배 본체를 격파하는 수밖에 없나—?!

"그리고— 나도 그냥 가만히 보고 있지는 않아!"

다시 유키노 선배가 움직였다!

『인피니티 리버스』를 피해서 뛴 나의 착지 지점을 정확하게 노렸다.

"이걸 받아봐라!"

오른쪽 에메랄드그린 도끼가 떨어졌다.

지금까지 꺼내지 않았던 오른쪽 도끼의 공격!

하지만 가드는 늦지 않는다!

까가앙! 도끼와 지팡이칼이 부딪혔고—.

"윽?!"

나는 압도적인 압력을 받아 후방으로 튕겨나갔다.

뭐지?! 저 도끼에 닿으니까 튕겨났어!

"이 녀석은 보레아스라는 도끼인데— 강(强) 넉백 효과가 붙은 레어 장비지!"

"과연⋯⋯ 우오오오오옷?!"

목소리를 높인 이유는, 넉백으로 튕겨난 내 몸이 마침 돌아온 『인피니티 리버스』에 맞아버렸기 때문이다.

선배는 이걸 계산해서 나를 날려버린 것이다— 역시 대인전 마니아는 강하다!

유키노의 인피니티 리버스가 발동. 렌에게 117의 대미지.
유키노의 인피니티 리버스가 발동. 렌에게 117의 대미지.
유키노의 인피니티 리버스가 발동. 렌에게 117의 대미지.
유키노의 인피니티 리버스가 발동. 렌에게 117의 대미지.

등을 후벼 파여서 직접 대미지가!

"뜨아아아아아아아앗!"

어떻게든 옆으로 굴러 피했다. 그러나 눈앞에는 다시 유키노 선배가!

"받아라, 렌!"

다시 가드하고 말았다!

또다시 강 넉백으로 튕겨나갔고—.

원래 갑판 끝으로 몰려있던 내 몸은 링아웃해서 그대로 공중에 내동댕이쳐졌다!

"일격마다 상대가 날아가는 건 일장일단이지만— 이런 곳이라면 최대한으로 살릴 수 있지! 배틀 필드에 맞춰 최적의 장비를 고르는 것도 대인전충의 소양이니까!"

노림수가 들어맞았는지 유키노 선배는 만족스러워 보였다.

"뜨아아아아아아아앗?! 또―?!"

두 번째 링아웃 패배라니―?!

아니, 아직이다―!

"『윈드밀』!"

승○권처럼 높이 뛰어오르는 지팡이 아츠다.

발판이 없는 공중에서 발동해도 날아오르는 것이 참으로 게임답기는 하지만 어쩔 수 없지!

높이 뛰어오른 나는 갑판에서 뻗어 나온 어설트 앵커의 사슬을 아슬아슬하게 붙잡는 데 성공했다.

"뀨~! 렌~! 구할래 구할래~!"

류가 날아와서 내 등을 물고 필사적으로 끌어올려 주려 했다.

그 보람도 있어서 어떻게든 사슬 위로 올라올 수 있었다.

"좋아…… 어떻게든 살아남았어―!"

죽기 직전에 간당간당하게 버텨낸 느낌이네!

"고마워, 류!"

나는 류에게 고마워하면서 일어났다.

어설트 앵커 사슬 위라서 균형이 불안정했지만, 불만 가질 수는 없겠지.

이 녀석 덕분에 내가 살아난 셈이니까.

피치 선더호와 이어져 있는 사슬이어서 거리가 가까운 덕분에 약간 밑으로 내려가 있던 것도 좋았다. 덕분에 손이 닿았다.

그리고 이제 『인피니티 리버스』는 쫓아오지 않는 모양이다.

내가 떨어져서 추적 사정거리 밖으로 나갔는지, 아니면 효과 시간이 다한 건지—.

정확하게는 알 수 없지만 아마 그 때문이겠지.

역시 아무런 제약도 제한 시간도 없이 영원히 상대를 쫓아갈 리는 없을 테니까.

"후우! 역시 끈질기구나, 렌! 하지만!"

유키노 선배가 갑판에서 뻗은 어설트 앵커로 접근했다.

여기까지 추격해올 셈인가—?!

아니, 선배가 어떻게 행동하든 내가 할 일은 정해져 있다.

"『파이널 스트라이크』!『디어질 서클』!"

바로 『파이널 스트라이크』 스킬 사용.

그리고 서클로 줄이는 MP는 1을 노리는 게 아니라, 조금 많이.

이러면 언제든 노릴 수 있다—!

나의 그 행동은 선배에게는 요격 준비로 비친 모양이다.

"요격인가—? 하지만 소용없다!"

선배는 내가 있는 어설트 앵커의 뿌리, 발사대 눈앞에서 발을 멈췄다.

"하아아아앗! 오의『슈팅 스타 러시』!"

앵커 발사대를 향해 반짝이는 발차기가 엄청난 기세로 펼쳐졌다.

단순하게 연타로 밀어붙이는 타입의 오의인지, 고속의 발차기가 탄막처럼 수없이 분열하는 것처럼 보인다.

선배의 저 예쁜 다리로 걷어차이면 좋아하는 녀석도 많겠지.

특히 선배의 길드인 미스틱 아츠^{신비한 무술}는 반쯤 선배의 친위대 같은 셈이라, 다들 선배의 팬 같으니까.

선배가 펼친 오의는 겉보기만이 아니라 위력도 장난이 아니라, 발사대의 HP 게이지가 순식간에 깎여서 제로가 되었다.

"과연……!"

내 발판을 부수려는 건가—!

발사대가 튕겨나고, 앵커의 사슬이 지지대를 잃고 축 내려갔다.

나도 충격으로 몸이 공중으로 튕겨났다.

"이번에야말로 링아웃이다!"

선배는 그렇게 말하면서도 방심하지 않고 갑판 끝으로 나왔다.

만약 내가 『윈드밀』로 갑판 끝을 붙잡으면 강 넉백이 붙은 보레아스로 공격해서 다시 떨굴 셈인가—!

그러면 나는, 링아웃하든가 선배의 공격으로 HP가 떨어질 수밖에 없어진다.

—아마 이게 선배의 계산이겠지.

"이걸로 신인전의 빚은 갚은 건가……? 네게 빼앗은 1포인트는 각별하구나, 렌!"

"아니, 벌써 포인트 마이너스라서요!"

이 이상 줄어들 수는 없다! 포인트는 주지 않아!

그런고로 이쪽에서 반전 공세에 나선다!

"오의—!"

나는 지팡이칼을 뽑아서 하늘 높이 던졌다.

그리고 아무것도 없는 공중에서 발을 디디고 하이 점프!

보아라, 이 게임적인 움직임! 할 수 있는 건 할 수 있다! 그런 세계니까!

그리고, 할 수 있는 것을 풀로 활용해서, 자이언트를 킬링할 것!

날아오른 나는 다마스쿠스 소드의 칼자루에 올라타 도킹!

"『청룡낙하』! 가라아아아아아아앗!"

『청룡낙하』의 점프력은 『윈드밀』의 두 배는 된다.

여유롭게 갑판에 있는 유키노 선배의 머리 위를 넘는 높이로 뛰어올랐고—.

하늘에서 내려와 땅을 덮치는 청룡의 오라에 휩싸이면서 급강하 돌진.

"새로운 오의인가?! 하지만—!"

유키노 선배도 대비했다.

그 몸은 『섀도 슬레이브』의 분신에 덮여있었다.

그리고 나는, 선배의 머리 위를 지나쳐서—.

"앗?! 조준이 빗나간 모양이구나, 렌!"

내가 오의의 제어를 실수했다고 생각한 선배가 히죽 웃었다.

그러나, 나는 단언했다.

"아니, 틀렸어요!"

"뭣이?!"

그래, 틀렸다. 실수한 게 아니다 노림수 그대로다!

"으랴아아아아아아압! 5포인트 내놔라아아아아아아아!"

나는 아키라 코코루와 일대 일 배틀 도중이었던 미코토에게 돌격했다!

촤아아아아아아아아악!

"우왓?! 꺄아아아아아아악?!"

렌의 청룡낙하가 발동! 미코토 코플에게 5735의 대미지!

렌은 니코토 코플을 쓰러뜨렸다.

적 NPC를 격파했습니다. 데몬즈 크래프트의 전공 포인트 +5.

데몬즈 크래프트의 합계 전공 포인트는 0입니다. 현재 26/48위입니다.

좋았어어어어어! 노림수 그대로!

"5포인트 받아갑니다!"

"미코토—?! 그런가, 렌! 넌 처음부터 나와 싸우면서도 미코토의 빈틈을 노려서!"

"그게 효율이 좋으니까요!"

일부러 유키노 선배를 쓰러뜨릴 필요는 없다. 가장 얻기 힘든 1포인트니까.

그렇다면 여기서는 멀리 떼어놓고 단번에 5점을 노리는 게 훨씬 좋다.

나는 대인전을 좋아하는 게 아니다. —자이언트 킬링을 좋아하는 거다!

아니 뭐, 대인전도 좋아하지만, 우선순위라는 의미에서!

여기서는 무조건 이겨야만 하니까!

팀의 승리를 위해서라면, 나는 5타석 연속 고의 4구도 불사한다!

"훗……! 방심도 빈틈도 없는 녀석이구나, 렌!"

"꼬꼬~. 윤리적으로는 한없이 블랙에 가까운 그레이다 꼬꼬~."

"칭찬이라고 생각해 둘게!"

"바보 자식! 잘했다! 라는 느낌이다 꼬꼬~!"

그렇게 말하면서 줄어든 내 HP를 회복하기 위한 회복 댄스를 날렸다.

아니, 근데 아키라의 코코루 목소리 흉내는 진짜 능숙하네~.

"아～ 정말 당했어! 분해～～!"

부활한 미코토가 발을 동동 굴렀다.

그렇겠지. 부활 포인트는 자기 팀 비공정이니까 금방 나타난다.

"이제 다음에는 안 당할 거니까! 코코루! 너도 당해줘야겠어!"

"그래, 그러면 상쇄되지!"

내 노림수를 알게 된 이상, 유키노 선배는 이제 그리 간단히 당해주지 않을 거다.

그렇다면, 이기고 도망쳐서 다음 사냥감을 찾고 싶은데—.

"다수를 섬멸하는 거라면— 이건 어때냐?!"

유키노 선배는 에메랄드그린색 도신의 도끼— 보레아스로 『인피니티 리버스』를 날릴 자세를 잡았다.

강 넉백이 붙은 무한 추적—?!

어떻게 하지? 자칫하면 전원 링아웃이 될 텐데……?!

"그렇게 둘 수는 없죠!"

노조미의 공격. 유키노에게 92의 대미지.
노조미의 공격. 유키노에게 86의 대미지.

유키노 선배 바로 뒤에서 들린 목소리와 참격. 그리고 대미지 로그.

『배니시 플립』으로 몰래 접근한 아카바네가 유키노 선배에게 공격을 맞췄다.

나이스 컷! 오늘 가져온 양손검도 『매의 극광석』 덕분인지 일반 공격이 2단 히트다.

그녀에게는 어떤 무기에도 『매의 극광석』을 준비할 수 있는 일벌력이 있다!

적 플레이어를 격파했습니다. 데몬즈 크래프트의 전공 포인트 +1.

데몬즈 크래프트의 합계 전공 포인트는 1입니다. 현재 23/48위입니다.

이런 로그도 보였다. 아카바네가 상대를 한 명 격파한 모양이다.

그 기세를 실어 유키노 선배를 공격한 건가.

역시 아키라의 라이벌적 존재라니까! EF에서는 우리의 공통된 친구였던 스칼렛이기도 했으니, 실력은 확실하다!

"큭─! 방해하는 거냐!"

"여러분, 이 이상 머물 필요는 없어요! 여기서는 이탈해서, 다음 적을 찾는 게 좋겠어요!"

동감! 유키노 선배를 무시하고 미코토를 노리는 전술이 들킨 이상, 계속 여기 있어봤자 잘해봐야 호각, 자칫하면 유키노 선배에게 너덜너덜하게 당해서 마이너스로 떨어질 수도 있다.

여기서는 이익을 확실하게 만들기 위해서라도 물러나야 한다.

그리고, 우리의 움직임이 들키지 않은 다른 길드를 상대하러 가는 거다.

그게 포인트를 벌기 쉬울 게 틀림없다.

"제가 미끼가 되겠어요! 어설트 앵커도 풀렸으니까, 비공정으로 돌아가세요!"

미끼를 맡아주는 건가.

확실히 1포인트를 내줄 각오로 누군가 미끼를 맡는 게, 다른 멤버들이 물러나기 쉽다.

"알았어, 부탁해!"

최소한의 원호로 디어질 서클을 이 자리에 전개!

상대의 움직임이 약간 둔화될 거다.

"좋아, 모두 돌아가자!"

"기다려—!"

"거기 서시죠! 제가 상대하겠어요, 스노우!"

"앗?!"

나는 그걸 듣고 말았다.

아니, 뜨거워진 건 이해하지만……!

그걸 말하면 위험하지 않아?! 그도 그럴 게—!

"후훗! 좋다, 스칼렛! 너와 붙는 것도 오랜만이지!"

이렇게 된다니까! 저렇게 말했으니 이렇게 대답해도 이상하지 않다!

아카바네, 아키라에게 스칼렛이라는 걸 숨기고 싶어 했잖아!

앤 본질적으로 덤벙이라니까! 이제 틀림없어, 확신했다고!

"앗?! 아—! 아니, 잠깐만 기다려요. 그건……!"

아니, 이제 와서 무슨 소리야!

게다가 이럴 때—!

"에에에에에에에에에에에에엑?! 노조미가 스칼렛?!"

죽을 만큼 놀란 아키라 코코루가 큰소리를 내질렀다.

물론 코코루의 목소리를 흉내 낼 여유도 없어서, 완전히 본래 아키라다.

우와, 이것도 들켰네!

"아키라의 목소리……?! 혹시 아키라였나?! 모습을 바꿔서……?! 그러고 보니 그 무기는 스카이 폴이군— 역시 아키라인가! 그 녀석은 가짜다!"

"에엑?! 진짜 코코루 아니야?! 그럼 진짜는?!"

"분명 저쪽 비공정이겠지. 숨을 곳은 거기밖에 없다!"

아아아아아, 들켰다! 위험해, 어서 도망쳐야!

"노, 노조미. 진짜인가요?!"

"지, 지금은 그런 말을 할 때가 아니에요! 빨리 돌아가세요!"

"그, 그래도……!"

"유키노! 저쪽으로 들어가서 코코루를 쓰러뜨리자!"

"그래—! 이번에야말로 쏘겠다!"

다시 보레아스로 『인피니티 리버스』를 날릴 자세다!

이런, 저걸 맞아 날아가는 사이 피치 선더호에 진입을 허용해서 코코루가 쓰러지면 포인트가 마이너스가 되잖아!

하지만 그때— 완전히 다른 방향에서 목소리가 들렸다.

""""""『매직 인게이지』!"""""

대량의 구령이었다. 우리는 목소리가 난 방향을 돌아봤다.

"호무라 선배—!"

호무라 선배네 비공정이 근처까지 이동해 있었고, 나란히 선 마도사들이 합체마법을 발동하려 하고 있었다.

선배네도 어설트 앵커로 묶여있어서, 그걸 풀기 위해 접근한 걸지도 모른다.

"후후후후후— 유키노! 우리의 발판이 되어줘야겠어! 너희의 포인트로 우리가 결승까지 가줄게!"

"호무라?! 치잇! 합체마법이 온다! 다들 선실로 후퇴해라!"

나이스 난입! 좋은 타이밍에 끼어들어 와줬다!

"타카시로. 너희는 알아서 피해!"

"알겠습니다! 다들 빨리 피치 선더호로 도망치자!"

잽싸게 도망쳐서 피치 선더호 갑판으로 미끄러져 들어갔다.

"바로 이탈할게!"

마에다가 타륜을 잡았다.

한 박자 뒤—.

"""""『그랜드 선더』!"""""

빠직쿵쾅콰콰아아아아아아아아앙!

굉음이 일어나며 합체마법이 작렬!

전에도 봤지만, 대인원으로 펼치는 합체마법은 박력이 굉장하다.

극대 번개가 하늘에서 떨어져서 유키노 선배네 비공정 자체에 큰 대미지를 가했다.

아마 안에 숨어있는 사람도 대미지를 면할 수 없었겠지.

확장 파츠인 대포보다 사정거리는 짧을지도 모르지만, 박력은 분명 웃돌고 있다.

마도사 군단은 함대전이 어울릴지도 모른다.

대포 말고도 유용한 사격 수단을 갖고 있으니까.

비공정을 통째로 부숴버리면 전원 링아웃시킬 수 있단 말이지.

이건 상당히 위협적일지도 모른다.

푸슉푸슉 연기가 오르는 비공정 갑판에서 유키노 선배네

가 다시 모습을 드러내는 게 보였다.

지금 일격으로 호무라 선배네 비공정과 연결되어 있던 앵커도 파괴되었다.

그걸 다시 쏠 작정인 모양이다.

올라타서 접근전에 들어가면 유키노 선배네가 포인트를 벌어들일 수 있겠지.

그걸 감지한 호무라 선배네 쪽에서 거리를 벌렸다.

유키노 선배네는 그쪽을 쫓아갔다.

아무래도 관심은 저쪽으로 간 모양이다. 이걸로 우리는 자유롭게 움직일 수 있다.

"자, 어쩔까? 타카시로?"

"글쎄—."

고민에 잠긴 우리 옆에서 아키라가 아카바네에게 따졌다.

"노조미. 아까 이야기 말인데—."

"안 돼요! 싸움은 아직 이어지고 있잖아요! 끝나고 나서 하죠. 그렇죠? 타카시로? 내 말이 맞죠?"

내게 떠넘겼다. 아~ 나중에 설명하는 것도 커버해 줘야겠네.

혼자서는 어떻게 해야 좋을지 모르는 것 같다.

뭐, 아카바네는 빠릿빠릿해 보이지만 츤데레에다 커뮤니케이션 장애 기질이 있으니까.

솔직히 평소에 카타오카가 일벌로 붙어있는 게 딱 좋긴 하다.

그 녀석은 그래 봬도 꼼꼼하고, 융통성도 있는 녀석이니까.

그런 취미만 아니었다면 좀 더 버거운 라이벌이 되었을 거다.

"일단 아카바네. 어설트 앵커 가지고 있지? 지금 빌려서 장착해도 될까? 파츠가 하나 비어있거든."

"네, 상관없어요."

그런고로 셋 업!

피치 선더호 갑판에 어설트 앵커 발사대가 붙었다.

흠흠. 하나를 세트하면 발사대가 두 개네.

1슬롯당 앵커를 두 개 쓸 수 있다— 메모 메모.

그럼, 다음에는 어디를 사냥하러 갈까—.

"어쩔 거냐 꼬꼬? 렌?"

진짜 코코루가 내게 물었다.

피치 선더호에 대기하는 사이에 다치지 않은 것 같아서 다행이다.

"글쎄다—."

유키노 선배네는 이탈하는 호무라 선배네를 쫓아갔고, 유키노 선배가 어설트 앵커로 포박했던 다른 비공정도 합체 마법으로 앵커가 날아갔기 때문에 흩어졌다.

지금 이 순간, 우리를 공격하는 다른 길드는 없다.

조타실에서 정면 오른쪽 방향에 비공정이 집단을 이루고 있는 게 보인다.

많은 길드가 몰려서 난전을 벌이고 있다.

포격이나 마법이 날아다니는 게 보였다.

왼쪽에는 비공정의 숫자도 그리 많지 않다. 낌새를 보는 길드가 많은 거겠지.

그럼, 난전에 뛰어들까, 밀집이 적은 곳을 노리러 갈까—.

"다들 미안 꼬꼬~. 나는 여기를 지키고 있었으니까 꼬꼬, 도움이 안 됐다 꼬꼬~. 그래도 응원하고 있었다 꼬꼬! 포인트가 늘어서 다행이다 꼬꼬!"

"……."

으~음. 계속 대기하게 놔두는 건 불쌍한가.

골든 옐로 스위츠로 고용한 몬스터는 이 배틀에서는 보충할 수 없으니까. 왜냐하면, 이 필드에는 동료로 삼을 수 있는 몬스터가 없다.

재장전이 불가능하고 탄이 여섯 발밖에 없는 상태인 코코루는 탄을 쏘지 말았으면 하는 게 본심이지만—.

이대로 계속 숨겨두는 건, 전략적으로 보면 합리적이지만 코코루의 멘탈에는 괴로울지도 모른다.

이걸로 자신감을 잃은 탓에 마지막의 마지막에서 힘을 발휘하지 못하게 된다면, 그건 그것대로 전략적인 실패가 된다.

논리적인 최적의 답이, 최종적인 최적의 답이 되지 않을 때도 있다.

인간이란 이론만으로는 잴 수 없는 것이다.

뭐, 코코루는 NPC지만! 그래도 그렇게 보인다고.

나는 코코루를 NPC라고 구별할 생각은 없으니까.

일단 나는 코코루에게는 자신감이 필요하다고 생각한다.

돈을 써서 고용한 몬스터를 사용하는 스타일이라 본체는 약하지만, 어떻게 행동하느냐에 따라서는 제대로 싸울 수 있다. 쿠자타 씨도 쓰러뜨리려면 쓰러뜨릴 수 있을 거다.

그러나 자신감이라는 건, 남이 말해준다고 갑자기 생기는 게 아니다.

성공 체험이 필요하다. 성공 체험이.

성공 체험이야말로 자신감을 낳는다고 어느 위인이 말했다고!

게임인지 현실인지는 잊어버렸지만!

"좋아, 그럼 오른쪽 방향! 난전 한가운데로 돌진하자!"

"괜찮아? 대량 득점할 수 있을지두 모르지만, 반대로 대량 실점당할 가능성도 있잖아."

"4위 이내에 들려면 무조건 대량 득점을 해야만 하니까. 적은 많으면 많을수록 좋아!"

"동감이네요. 깨작깨작 벌어서는, 이기든 지든 결국 결승에는 도달할 수 없어요."

"좋아! 그럼 고고~! 꼬꼬!"

이건 코코루 흉내를 낸 아키라다.

"꼬꼬! 아키라, 내 말투 흉내, 잘한다 꼬꼬~!"

"응응. 실은 몰래 연습했었다 꼬꼬!"

역시 연습했구나.

"알았어! 그럼 오른쪽으로 갈게!"

철컹!

마에다가 니트로 레버를 당겼다.

지금 눈치챈 건데, 어설트 앵커 발사 스위치도 타륜의 손잡이가 레버인 모양이다. 니트로가 빨간 레버고 어설트 앵커가 파란색이다.

초고속으로 난전 공역으로 들어가던 마에다가 말했다.

"타카시로, 나 바로 어설트 앵커를 시험해 보고 싶은데—."

"응? 백병전을 하고 싶어?"

"아니. 니트로와 골든 드릴을 병용할 거야. 적 비공정에 앵커를 박은 상태에서, 우선 니트로를 쓴 드릴 돌격을 할 거 잖아?"

"응."

"그리고, 바로 선회하면서 다시 니트로를 발동해 돌격하는 거야. 다음에도 바로 선회해서 니트로로 돌격. 움직임은 엉망진창이겠지만, 앵커로 연결되어 있으면 상대와 거리가 크게 벌어질 일은 없고, 방향 전환하기도 쉬우니까 할 수 있을 거야."

"즉, 비공정과 상대를 모두 격추하는 걸 노리자고?"

"응. 그게 가능하다면 제일 좋잖아?"

반짝! 마에다의 눈이 빛났다. 이야, 과격하네!

어느 로봇 애니에서 나온 것처럼 변태 같은 기동을 하면서 연속 돌격 공격하는 이미지다!

질릴 정도로 유효한 전술적인 무언가라는 느낌으로…….

아, 하지만 하고 싶어서 근질근질한 표정이네

시험해보는 건 좋지만, 니트로&드릴의 돌격 전법은 이쪽도 대미지가 들어오니까.

우리는 그렇다 치더라도, 코코루는 2, 3연타씩 이어지면 하늘로 올라가게 된다.

변태 기동을 하는 도중에는 회복도 넣을 수 없고, 회복을 넣기 위해 움직임을 멈추면 효과가 반감된다.

적을 쓰러뜨려서 포인트를 벌어도, 코코루가 백드래프트로 죽어버리면 의미가 없다.

단지, 마에다가 생각한 질릴 정도로 유효한 돌격 전법은 시험해보고 싶기는 하다.

잘 풀리면 대량 득점을 기대할 수 있다.

그렇다면— 음, 이것밖에 없겠네!

"좋아— 그럼 일시적으로 두 패로 갈라질까! 나와 코코루와 아카바네는 비공정에서 나오고, 마에다 그룹은 지금 말한 수단을 시험해보기로 하자!"

먼저 마에다 전술을 하려면 코코루가 비공정 안에 있으면 곤란하므로, 나온다.

나온다고 해도 그저 나와서 링아웃되는 건 말도 안 되고, 코코루가 골든 옐로 스위츠로 프로스트 이글을 부를 거다.

그걸 불러서 날 수 있는 유격대를 짜서 따로 행동한다.

그러므로 능력적으로도 코코루가 필수다.

그리고, 프로스트 이글은 세 명까지 타고 날 수 있기 때문에 나도 간다.

마침 오의로 날뛰고 싶었으니까 말이지!

나와 상성을 맞추려면 소드 댄서가 한 명 필요하므로 아키라나 아카바네.

코코루의 모습을 취하는 것으로 인한 미끼 효과를 고려하면, 아키라는 코코루와 함께 있지 않는 편이 더욱 적의 눈길을 끌 수 있다. 그런고로 아카바네를 선택했다.

"알겠지, 코코루! 우리는 유격대야! 프로스트 이글을 타고 날뛰러 가자!"

"알았다 꼬꼬~!"

"아카바네도 부탁할게!"

"네, 좋아요!"

아카바네는 자신만만하게 수긍했다.

그리고, 난전이 벌어지는 전장에 도달하기 직전— 우리는 갑판으로 나왔다.

"프로스트 이글! 와줘라 꼬꼬~!"

코코루가 그렇게 부르자, 어딘가에서 푸른 깃털의 거조가 날아왔다.

그리고 코코루 쪽으로 다가와 착지했다.

끄에에에엑!

마치 말이 울듯이 크게 울었다.

오오, 뭔가 의욕적인데! 맡겨두라고! 라고 말하는 것 같다.

"좋아, 우리를 태워줘라 꼬꼬~!"

그리고 우리 세 사람은 프로스트 이글의 등에 올라탔다.

"좋아, 나중에 합류할 테니까! 혹시 당하면 배로 돌아올 테니 잘 부탁해!"

"알았어! 이쪽도 잘해볼 테니까!"

"그쪽도 힘내라구!"

"코코루, 마음 굳게 먹어! 괜찮아, 할 수 있으니까!"

"아, 알았다 꼬꼬~!"

우리 유격대는 피치 선더호 갑판에서 날아올랐다.

눈앞에는 이곳저곳에서 포격이나 마법이 오가고, 비공정 갑판에서는 백병전도 펼쳐지고 있는 게 보인다. 으~음, 활기차네!

그러나 아카바네는 그런 뜨거운 광경을 완전히 무시하고, 허둥대고 있었다!

"어, 어어어어— 어쩌죠……?! 제가 스칼렛이라는 게 아키라에게 들키고 말았어요……!"

"아니, 아직도 그걸 끌고 있었어?!"

아까까지는 아키라의 눈이 있어서 태연한 태도를 가장하고 있었을 뿐인가.

내심의 동요가 태도로 드러나지 않았던 건 대단하지만, 내심이 너무 당황하고 있잖아!

겉보기는 완전 상류 계급의 아가씨인데, 알맹이가 너무

두부 멘탈이라니까!

 게다가 덜렁이 속성까지 가지고 있다. 손이 많이 가는 타입이네.

 "그건 나중에 생각하기로 하고, 지금은 적을 쓰러뜨리러 가자! 정신 똑바로 차리고 해줘."

 "하, 하지만 타카시로……! 아키라가 화내고 있지 않을까요?! 왜 말하지 않았는지— 정체를 비밀로 하고 자신에게 접근해서, 약점을 잡으려 한 게 아닐까 오해하면 어쩌죠……?! 저는 걱정 또 걱정이라—."

 "괜찮다니까! 아키라는 분명 좋아할 거야. 나중에 같이 설명해줄 테니까 기분 풀라고. 알겠지?"

 "아, 알겠어요……. 잘 부탁할게요—."

 정말로 불안해 보인다. 얼마나 아키라에게 미움받고 싶지 않은 건지—.

 뭐, 확실히 커버해 주겠지만!

 "렌! 어디로 갈까 꼬꼬?!"

 "글쎄다— 오!"

 그때 내 눈에 들어온 것은, 비공정 세 척이 한 덩어리로 뭉친 집단의 모습이었다.

 삼각형 비행 편대를 짜서 삼각형의 각 변에 해당하는 부분을 어설트 앵커로 연결하고 있다.

 "어설트 앵커를 저런 식으로 쓰는 것도 가능한가—."

저거, 삼국지로 따지면 연환계 같은 셈인가?

앵커로 서로를 연결해서 대열을 짜는 것으로 비공정의 안정성을 높이고 있다.

적이 오더라도 옆에 있는 두 척과 함께 포격 화력을 집중해서 요격할 수 있다.

또한, 앵커를 통해 서로의 배로 왕래할 수 있기에 전력을 하나로 집중해서 적보다 수적인 유리를 얻을 수 있다.

저건 세 개의 길드가 동맹을 맺은 패턴이구나.

과연, 저런 진형으로 밀집해서 적을 상대하며 각각의 국면에서 항상 수적 유리를 확보한다는 건가.

같은 동맹이라도 우리와 호무라 선배 쪽처럼 서로를 공격하지 않을 뿐인 동맹, 저 세 척처럼 확실히 연계를 맺은 동맹. 뭐, 어느 쪽도 있을 법하지.

저런 방침을 잡더라도, 최종적으로 포인트 상위 네 길드에 들어가면 될 뿐이다.

"저건 세 척이 밀집해 있으니까, 사람이 잔뜩 있네—."

"쳐들어갈 생각인가요? 아무리 그래도 중과부적이 아닐까요?"

"정면으로 간다면야— 하지만, 배치만 잘한다면 대량 득점의 기회가 있어."

세 척 세트인 선단은 지금 자기 진행 방향 오른편에 있는 적선에 포격을 퍼붓는 중이었다. 플레이어들도 우현을 주목

하고 있어서, 오른쪽 배에 사람이 모여있다.

왼쪽과 전방 비공정의 갑판에는 사람이 적다.

이건 노려볼 수 있을지도 모른다―.

"좋아, 코코루. 사람이 적은 왼쪽 갑판에 나랑 아카바네를 내려줘! 너는 프로스트 이글의 눈보라를 사용해서 공격하고!"

"알았다 꼬꼬~! 프로스트 이글, 가줘라 꼬꼬!"

프로스트 이글이 내가 지시한 곳으로 날아가는 사이, 나는 시스템 윈도우를 열었다.

그리고 오의 에디트 메뉴를 열어서 『데드 엔드』를 『주작일섬』으로 바꿨다. 이걸로 현재 액티브 오의는 『청룡낙하』와 『주작일섬』이다.

AP는 아직 있으니까 모두 쓸 수 있는 상태다.

"도착했네. ―좋아, 내려가자. 아카바네!"

"네, 알았어요!"

우리는 사람이 적은 좌현 쪽 비공정에 내려섰다.

"이쪽이야, 아카바네!"

나는 갑판 끝, 어설트 앵커 발사대로 가서 앵커 위로 올라섰다.

"뒤를 지켜줘! 내가 뒤에서 맞지 않도록! 코코루도 부탁해!"

우리 위쪽에 떠 있는 코코루와 프로스트 이글에게 호소했다.

"네!"

"알았다 꼬꼬!"

그때, 좌현 배에 있던 적 플레이어가 모습을 보였다.

"이쪽으로 덮쳐온 거냐—!"

응—?

"오오오오오오오! 노조미 니이이이임! 게다가 타카시로냐!"

카타오카냐! 그렇구나, 여기 카타오카의 길드였나—!

"오! 카타오카잖아! 너 이런 곳에 있었냐."

"뭐, 그렇지. 말단이니까 잔류조지만. 선배들은 저기서 즐겁게 하고 있다고."

그러면서 우현 비공정을 가리켰다.

저쪽은 교전 중이라, 갑판에 많은 플레이어가 나와서 덮쳐오는 적 길드에게 포격이나 마법이나 총이나 활 등의 원거리 공격을 퍼붓고 있었다.

완전히 배를 비울 수는 없으니까, 한 명만 비어있는 좌현측 비공정에 남은 모양이다.

그런 잡일이 말단인 카타오카에게 돌아온 셈이다.

이 녀석의 길드인 널리지 레이크는 규모가 크니까, 그런 서열이 있는 거겠지.

"근데 넌 뭐 하러 왔어? 일단 적이 오면 신호를 보내게 되어있는데—."

"어머, 카타오카. 저를 적이라고 말하는 건가요?"

아카바네가 차가운 눈으로 카타오카를 바라봤다.

이렇게 고압적으로 나올 때는 엄청 완벽한 아가씨 같은데.

"그럴 리가 없잖아요! 뭐든 명령해 주시죠, 노조미 님! 포인트가 필요하시면 저를 공격해서 밖으로 떨어뜨려 주세요! 상대를 떨어뜨려도 1포인트 들어오니까요!"

이 녀석 진짜 흔들리지 않네. 항상 여왕벌에게 공물을 바치는 것밖에 생각하지 않는다.

이번에는 포인트를 바치려는 건가.

"……어쩌죠?"

그리고 그걸 평범하게 받아들이는 이 소녀도 문제가 있다니까.

"아니, 그건 안 되지! 그래서는 승부 조작이 되어버리잖아!"

"그런가요? 저의 인망이 낮은 포인트니까, 어느 의미로는 정당한 평가가 아닐까요?"

"아니아니, 인망이라기보다는 여왕벌력이라고나 할까— 아니, 아무래도 상관없지만, 아무튼 안 돼! 그보다 카타오카, 신호를 보내면 저쪽에 있는 녀석들이 돌아오는 거지?"

"그렇겠지. 적이 오면 신호를 보내게 되어있으니까. 저쪽 적도 적어졌으니, 전원이 저쪽에 있을 필요도 없거든."

"좋아. 그럼 신호 보내줘!"

"괜찮나요? 포위될 텐데요? 그래도 날아서 도망치면 될지도 모르지만, 포인트는 벌 수 없어요."

"그렇게 되기 전에 포인트를 대량으로 얻을 테니까 괜찮아. 맡겨두라고!"

"그렇다면야—."

"좋아, 카타오카. 해줘!"

"그래! 할게!"

카타오카가 비공정 조타실에 들어가더니—.

이윽고 커다란 소리와 함께 연막탄이 올라가서 하늘에서 터졌다.

그걸 신호로, 우현에 모여있던 플레이어들이 일제히 이쪽을 주목했다.

그리고 그중 절반 정도가 우현과 좌현을 잇는 어설트 앵커를 타고 이쪽으로 오기 위해 달렸다.

"좋았어, 기회다! 『파이널 스트라이크』! 『디어질 서클』!"

오의를 날릴 사전 준비 의식이다. 이미 정석이지요!

준비 완료! 그리고 나도 어설트 앵커 위로 올라가서 우현 쪽으로 달렸다.

"코코루! 아카바네를 태우고 날아서 따라와 줘!"

일행들에게는 그렇게 지시했다.

그리고 내가 어설트 앵커 중간 위치까지 나아갔을 때, 저쪽 기슭에서 7~8명의 플레이어가 앵커 위를 달려왔다.

히야! 일격에 날아갈 표적이 일렬로 오고 있구나!

그렇다면, 이거다!

나는 허리를 낮추고 반신을 비튼 『발도술』 자세를 잡았다.

그러자 몸이 새빨간 불꽃에 휩싸였다. 그 불꽃의 형태는 불새— 주작을 본뜨고 있었다.

"오의! 『주작일섬』!"

그대로 일직선으로 돌진!

""""으아아아아아아아악!""""

""""끄아아아~~~악?!""""

불새가 앵커 위를 질주했고, 동시에 일제히 비명이 터져 나왔다.

내가 날린 『주작일섬』은 앵커 위에 있던 적 플레이어들을 일격에 쓸어버렸다.

이 일직선으로 이어진 앵커 위에서는 도망칠 곳도 없으니까!

앞으로 크게 이동하면서 이동 시 공격 판정이 있는 『주작일섬』에 안성맞춤인 시추에이션이었다!

이걸 위해 카타오카에게 일부러 사람을 모아달라고 한 거다.

역시 연환계는 삼국지에서도 이 게임에서도 불운한 속성이구나!

적 플레이어를 격파했습니다. 데몬즈 크래프트의 전공 포인트 +1.

적 플레이어를 격파했습니다. 데몬즈 크래프트의 전공 포인트 +1.

적 플레이어를 격파했습니다. 데몬즈 크래프트의 전공 포인트 +1.

적 플레이어를 격파했습니다. 데몬즈 크래프트의 전공 포인트 +1.

적 플레이어를 격파했습니다. 데몬즈 크래프트의 전공 포인트 +1.

적 플레이어를 격파했습니다. 데몬즈 크래프트의 전공 포인트 +1.

적 플레이어를 격파했습니다. 데몬즈 크래프트의 전공 포인트 +1.

적 플레이어를 격파했습니다. 데몬즈 크래프트의 전공 포인트 +1.

데몬즈 크래프트의 합계 전공 포인트는 9입니다. 현재 17/48위입니다.

"좋았어! 대량 득점이다!"

"과연, 많은 수를 끌어들이려고 일부러 불러낸 거군요—! 이 앵커 위에서는 도망칠 곳도 없고요……!"

"뭐, 위로 날아가면 도망칠 수야 있겠지만, 처음 보는 건 어지간해서는 반응할 수 없잖아? 가드해서 HP가 남아있다고 해도, 밀려서 떨어지니까."

"확실히, 그 오의에는 이 진형이 베스트 매치네요."

"렌, 굉장하다 꼬꼬~!"

"그래, 이런 식으로 그밖에 끌어들일 수 있을 것 같은 녀석을 찾자!"

한 번 보면 대처할 테니까, 처음 보는 녀석들을 찾아서 날리면 잘 맞을 거다.

이쪽에는 적이 무척 많으니까. 팍팍 잡아보자고!

"좋았어, 다음 가자. 다음!"

나는 접근해온 프로스트 이글의 등에 올라탔다.

그리고, 생뚱맞은 로그가 흘렀다.

적 플레이어를 격파했습니다. 데몬즈 크래프트의 전공 포인트 +1.

적 플레이어를 격파했습니다. 데몬즈 크래프트의 전공 포인트 +1.

적 플레이어를 격파했습니다. 데몬즈 크래프트의 전공 포인트 +1.

적 플레이어를 격파했습니다. 데몬즈 크래프트의 전공 포인트 +1.

적 플레이어를 격파했습니다. 데몬즈 크래프트의 전공 포인트 +1.

데몬즈 크래프트의 합계 전공 포인트는 14입니다. 현재 13/48위입니다.

"오오?! 이건 아키라네가 적을 격파해줬나 보네! 그 전법이 잘 진행된 건가—!"

"그런 모양이네요—!"

"굉장하다 꼬꼬! 이거 포인트 4위 이내도 갈 수 있을지도 모른다 꼬꼬!"

코코루가 기뻐하며 외쳤다.

"과연 그럴까—?!"

목소리! 위에서다!

"음—?!"

맞다. 카타오카의 길드에는 날 수 있는 NPC가 있었지—!

"쿠, 쿠자타 씨인가 꼬꼬……!"

"여어! 쿠자타 씨잖아!"

"용케 저질러줬군. 하지만 상대하기에 부족함이 없다. 빚을 갚도록 하지!"

"홋. 마침 잘됐네. 조인종의 탑이 나오다니— 코코루가 당신을 쓰러뜨려서, 하극상을 완수해주겠어!"

나는 쿠자타 씨에게 손가락을 척 내밀었다.

"꼬끼오오오오?! 렌, 무슨 소리냐 꼬꼬~~~?!"

"호오……! 그거 기대되는군—!"

쿠자타 씨는 대담하게 웃으면서 자신의 무기인 창을 들었다.

"좋아, 가라. 코코루! 네 힘을 보여줘!"

여기서는 코코루의 성공 체험을 위해, 코코루가 쿠자타 씨와 일대일로 붙는 걸 지켜보도록 하자.

"무, 무모하다 꼬꼬, 렌! 내가 아니라도—."

"아니, 할 수 있어! 너도 성장했다고. 마음껏 시험해 봐! 가족도 보고 있잖아? 좋은 모습을 보여주라고!"

"그, 그래도 렌— 자, 자신 없다 꼬꼬……!"

"승부는 단순한 스테이터스 비교가 아니야. 약하더라도 머리를 써서 고민하면, 결과적으로 상대를 웃돌 수 있다고! 적어도 이 상황이라면, 쓸 수 있는 수단이 있다고! 너라면 알 거야—!"

"이, 이 상황 꼬꼬……?"

코코루의 머리는 결코 나쁘지 않다.

장사 재능이 있으니까. 장사 재능이 있는 녀석의 머리 회전이 둔할 리가 없다.

그러니 확실히 스테이터스로는 불리하지만, 쓸 수 있는 수단을 생각해낼 수 있을 거다.

뭐, 느닷없이 데들리 킹을 쓴다는 사도(邪道)도 있지만— 만약 여기서 낭비하더라도 불평하지는 말자.

여기서 자신감을 가지는 건, 코코루에게 필요한 일이니까.

"아카바네, 내려가자!"

나는 아카바네를 재촉해서 프로스트 이글의 등에서 내려와 어설트 앵커 위로 올라왔다.

"쿠자타 씨. 우리는 보고 있겠어! 마음껏 해보라고!"

"좋다! 코코루, 네가 그들 밑에서 얻은 것을 보여봐라!"

쿠자타 씨가 날개를 강하게 펄럭이며 코코루를 향해 날아왔다.

"꼬꼬?!"

코코루는 프로스트 이글의 고삐를 잡아서 창의 일격을 피했다.

응, 꽤 민첩한 움직임이다. 새들끼리니까 의지가 통하기 쉬운 건가?

"놓치지 않겠다!"

공중에서 술래잡기가 시작됐다.

쿠자타 씨는 돌진해서 창으로 일격을 먹이려 했다.

코코루는 그것을 피하면서 거리를 벌리고, 프로스트 이글이 내뿜는 얼음 프레스로 공격하려 했다.

민첩성은 쿠자타 씨가 위인가?!

그러나 코코루도 충분히 응전하고 있다.

나는 그 모습을 팔짱을 끼고 지켜봤다.

힘내라, 코코루! 여기서 반드시 이길 필요는 없어. 포인트라면 우리가 벌 테니까.

하지만, 자신감을 얻어줘! 너는 할 수 있어!

자신감은 내가 얻게 해줄 수 없으니까.

네가 스스로 얻는 거야!

"어울리지 않네요? 조금 전에는 스노우가 일대 일을 바라던 걸 무시해 놓고서는."

"그건 그거지. 때와 장소에 따라 다르니까. 지금은 이게 필요하다고 생각해."

"……방해하는 자가 나오면 우리가 막도록 하죠."

"그래."

이런 말을 해주는 걸 보면 아카바네도 납득하고 있는 것 같다.

그리고, 코코루와 쿠자타 씨의 공중전은 결정타가 나오지 않은 채 진행됐고―.

"―간파했다!"

쿠자타 씨는 갑자기 그렇게 외치고는 프로스트 이글이 뿜은 얼음 브레스를 피하지 않고 정면으로 돌진했다!

브레스 대미지를 무시하고, 그대로 프로스트 이글에게 창을 날렸다.

"오의! 『뇌전회천충(雷電回天衝)』!"

똑바로 내지른 창을 축으로 나선 회전하면서 고속으로 돌격!

그리고 창은 푸른 번개를 휘감고 있었다.

마치 번개가 세로로 내달리는 듯한 강렬한 일격이었다.

고속회전하면서 창을 내지르는 움직임은, 날 수 있는 쿠자타 씨이기에 가능한 것이겠지.

질주하는 번개로 변한 쿠자타 씨가 프로스트 이글의 몸통을 꿰뚫었다.

규오오오오~~!

프로스트 이글이 비명을 내질렀다.

"안 돼요! 프로스트 이글이!"

HP 바가 단숨에 깎여나갔다.

코코루는 아직 무사하지만— 프로스트 이글 없이는 날 수 없어!

"후! 이 녀석은 얼음 브레스를 내뿜는 순간, 움직임이 멈춘다! 그걸 찔렀다!"

"과연, 살을 내주고 뼈를 친 건가—!"

격파된 프로스트 이글이 투명하게 명멸하면서 소멸했다.

결과적으로 코코루가 공중에 내팽개쳐졌다.

"꼬, 꼬끼오~~~?!"

날 수 없는 날개를 파닥파닥.

공중에서 약간 궤도 수정에 성공한 코코루는 어떻게든 어설트 앵커에 달라붙었다.

"좋아! 달라붙어!"

"하지만 빈틈투성이다! 떨어져 줘야겠다!"

떨어지지 않기 위해 필사적이던 코코루에게 쿠자타 씨의 창이 덮쳐왔다!

이대로 가면 떨어진다! 하지만, 아직—!

콰아아앙!

"으으으으으윽?!"

코코루를 찌르기 직전이던 쿠자타 씨가 커다란 철권에 맞아 날아갔다!

"좋아! 잘했어!"

코코루가 다음 몬스터를 부른 것이다.

안쪽이 텅 빈 거대한 전신 갑주, 이른바 리빙 아머계 몬스터다.

전신 오렌지색의 화려한 색상을 가진, 인페르노 아머라는 레벨 79의 몬스터다. 이걸로 코코루의 남은 용병 몬스터는 넷이구나.

그러나 여기서 데들리 킹에 의존하지 않는 걸 보면, 확실히 냉정하게 생각하고 있다는 증거다. 패닉에 빠지면 의존하고 싶어질 테니까 말이지.

"끌어 올려줘라 꼬꼬!"

인페르노 아머는 코코루의 지시에 따라 그의 몸을 어설트 앵커 위로 끌어 올렸다.

데들리 킹에는 미치지 못하지만, 이 인페르노 아머도 코코루와 상당히 상성이 좋다. 내가 추천하는 몬스터이기도 하다.

왜냐하면—.

"좋아, 지금이다! 합체다 꼬꼬!"

알맹이가 없는 인페르노 아머가 고개를 끄덕였고—.

펑 하고 조각조각 분해되어 활공했다!

그리고—.

찰칵찰칵! 철컹! 까아아아아앙!

멋있는 금속음이 들리며 각 파츠가 코코루의 몸을 뒤덮었다!

원래 체형은 각각 전혀 다르지만, 분위기를 읽어서 체형까지 조정해줬다.

그리고, 코코루의 동그란 코케족 보디가 완전한 풀 아머에 감싸였다.

풀 아머 코코루의 완성이다!

"꼬꼬~! 장착 완료다 꼬꼬!"

이 인페르노 아머는 원래 동료 몬스터의 몸을 덮는 『장착 빙의』라는 특수기를 가졌다.

코코루는 그걸 사용한 것이다.

명령해서 발동하려면 코코루 자신의 AP가 필요하지만, 그건 지금까지의 싸움으로 쌓았다.

동료 몬스터가 AP를 얻으면 일부가 코코루에게도 가산되는 구조이기 때문이다.

그래서 『장착 빙의』를 하기 위한 AP를 프로스트 이글에게서 벌어들일 수 있었다.

처음부터 진짜 목적은 『장착 빙의』였다.

『장착 빙의』라면, 대미지는 모두 겉면의 인페르노 아머가 받기 때문에 격파되기 전까지 코코루는 멀쩡하게 있을 수 있다.

최대 HP도 방어력도 낮은 코코루에게는 안성맞춤의 효과다.

"그렇군요. 갑옷을 입게 되면⋯⋯! 좋네요!"

"그렇지─!"

"그래. 갑옷 마물을 두른 건가─ 재미있군!"

쿠자타 씨가 자세를 다잡고 다시 창을 펼쳤다.

풀 아머 코코루도 마찬가지로 창을 꺼내서 요격.

이것은 코코루가 가지고 있던 장비 아이템이다.

쿠자타 씨의 창과, 풀 아머 코코루의 창이 교차한다!

쿠자타의 공격. 인페르노 아머에게 72의 대미지.

인페르노 아머의 공격. 쿠자타에게 91의 대미지.

한 방 대미지는 이쪽이 뛰어난 모양이다.

그보다도 이쪽의 방어력이 훨씬 높으니까 대미지가 더 나온 건가?

아무튼, 좋은 일이다!

참고로 로그상에서 풀 아머 코코루는 인페르노 아머로 취급된다.

이게 이 합체의 핵심이다.

원래 코코루는 『벼룩의 심장』을 가져서 상대에게 절대 대미지를 줄 수가 없다.

그러나, 시스템상으로 풀 아머 코코루는 어디까지나 인페르노 아머다.

『장착 빙의』 중에는 스테이터스도 인페르노 아머니까, 『벼룩의 심장』의 효과도 적용되지 않는다.

이 스테이터스상으로 인페르노 아머가 되는 효과를, 잔챙이 몬스터와 동일한 레벨로 파워 다운된 걸로 판단하느냐, 인페르노 아머 같은 분의 스테이터스를 얻어 극적으로 파워 업한 걸로 판단하느냐는 합체한 사람이 누구냐에 따라 다르겠지만—.

코코루의 경우, 절대적으로 후자다.

약점에 지나지 않았던 코코루 본체를 숨기면서 싸울 수 있는 데다, 『벼룩의 심장』의 효과도 피할 수 있으니까.

"그렇다면— 파이어 볼!"

쿠자타 씨는 떨어진 위치에서 마법을 날렸다.

아, 그런가. 마법전사라는 설명을 봤던 것 같다! 첫 드래프트 때!

날지 못하게 된 코코루는 어설트 앵커 위에 머물고 있으니 요격할 수밖에 없다.

멀리서 마법을 맞으면, 불안정한 발판에 주의하면서 피할 수밖에 없다.

그리고, 자세가 흐트러졌을 때 쿠자타 씨가 다시 돌격!

쿠자타의 공격. 인페르노 아머에 76의 대미지.

이번에는 쌍방 타격이 될 수 없었나—!

일방적으로 공격을 맞으면 위험한데—.

"위험해요! 일방적으로 몰리고 있어요!"

쿠자타 씨의 남은 HP는 7할, 풀 아머 코코루는 2할 정도인가.

원래 풀 아머 코코루에게는 발판의 불리함이 있다.

게다가 쿠자타 씨는 조인종의 영웅이라 불리는 역전의 전사.

전투 경험의 차이라는 것도 클지도 모른다.

코코루는 아직 싸움에 별로 익숙하지 않으니까.

"아니— 그래도 좋아……!"

"하지만— 네, 좋긴 하죠. 확실히 용케 애쓰고 있어요. 저는 코코루를 다시 봤네요."

"아니, 그게 아니라."

"무슨 소리죠?"

"아직 승산은 있다고—!"

그리고 아마 내가 코코루라도 여기까지는 똑같은 전개가 될 거다.

코코루에게는— 여기서부터 노릴 수 있는 역전의 수단이 있다.

적어도 내가 보는 바로는, 그렇다.

코코루가 그걸 눈치챌 수 있을까— 눈치채줘!

"여기까지 용케 버텼다— 자, 격침돼라! 『뇌전회천충』!"

쿠자타 씨가 마무리 오의를 펼쳤다—!

치명적인 일격이 코코루를 덮쳐왔고—.

"퍼지다 꼬꼬!"

놀랍게도 코코루는 이런 막판에 이르러서 『장착 빙의』를 해제해 버렸다!

"에에엑?!"

아카바네가 크게 외쳤다.

풀 아머 코코루 상태로 맞으면 그래도 인페르노 아머가 당하는 것에 그치지만, 본체가 맞아버리면 확실히 일격사를 당하며 5포인트를 잃는다.

아카바네가 이렇게 반응하는 것도 당연하겠지.

그러나 나는, 손뼉을 쳤다.

"좋아! 잘했어!"

이걸 해주길 바랐기 때문이다. 코코루도 알고 있었잖아!

그럼 다음에는 당연히—!

"『장착 빙의』다 꼬꼬!"

그래, 그거!

단, 합체 상대는 코코루가 아니라, 눈앞의 쿠자타 씨다!

찰칵찰칵! 철컹! 까아아아아아앙!

멋있는 금속음! 이번에는 쿠자타 씨가 풀 아머화했다!

"으아아아아아아앗?!"

그리고 바로 비명을 질렀다. 자세가 덜커덩 무너졌다.

그걸 본 아카바네가 사태를 파악했다.

"앗—! 그렇군요……! 저쪽에 갑옷을 장착시키면—!"

"그래……!『장착 빙의』후에는 인페르노 아머니까!"

쿠자타 씨가 가진 비행능력은 사라진다—!

무거워서 날지 못하게 됐다고 생각하면 될지도 모른다.

아무튼, 코코루의『벼룩의 심장』이 사라진다면 쿠자타 씨의 비행능력도 사라진다는 법칙이다. 게임적으로는 그런 사양이겠지.

그리고— 이 지역에서 비행능력을 빼앗긴다면—!

"우오오오오오오오?!"

풀 아머 쿠자타 씨는 비명을 지르며 낙하했다.

저 사람은 원래 날 수 있으니까, 추락은 처음 겪는 일이겠지.

무척 무서운 경험일지도 모른다.

쿠자타 씨의 모습이 아래쪽으로 사라지자, 딩동 하고 로그가 나왔다.

**적 NPC를 격파했습니다. 데몬즈 크래프트의 전공 포인트 +5.
데몬즈 크래프트의 합계 전공 포인트는 19입니다. 현재
10/48위입니다.**

이곳이기에 가능한 전술이었다.

코코루가 임기응변을 발휘해줘서 매우 좋았다!

이제 너는 충분히 한 사람 몫을 할 수 있어. 코코루!

"해, 해냈나 꼬꼬……?! 내가 이긴 건가 꼬꼬……?"

코코루가 멍하니 중얼거렸다.

"그 쿠자타 씨를 내가 이기다니…… 그렇게 못났던 내가—!"

자신이 해낸 것이 아직도 믿기지 않는 것 같다.

그런 코코루의 등을 내가 탁 두드렸다.

"좋았어, 나이스 코코루! 그렇지? 말했잖아?! 너는 할 수 있다고!"

나도 콧대가 높아진다!

지금 확실히, 코코루는 쿠자타 씨에게 자이언트 킬링을 먹여줬으니까!

그 영웅 후보 드래프트 때에는 생각할 수도 없던 일이 일어난 것이다.

역시 약자의 전술이 강자를 쓰러뜨리는 걸 보면 기분이 좋다!

이게 로망이란 말이지! 나는 꽤 만족했다고!

"렌이 힌트를 준 덕분이다 꼬꼬~! 확실히 그 자리에서밖에 할 수 없는 꼼수였다 꼬꼬~."

"그래도 괜찮아. 승부라는 건 먼저 하는 쪽이 승자니까! 그리고 그 자리의 상황을 이용해서 행동하는 건 꼼수도 뭐도 아니야. 플레이어 스킬이지! 뭐가 됐든 너는 쿠자타 씨에게 이겼어. 확실히 해낼 수 있었다고. 그러니까 자신감을 가져!"

"꼬꼬~! 고맙다 꼬꼬~! 너희가 나를 지명해줘서 다행이었다 꼬꼬~!"

"피차일반이지. 나도 코코루는 내가 키웠다고 말할 수 있으니까—. 자, 계속해서 포인트를 팍팍 벌어들이자고!"

"알았다 꼬꼬~!"

"하지만 코코루는 이제 좀 소극적으로 나가야겠네. 몬스터를 팍팍 써버렸다가 탄이 다 떨어지면 무서우니까."

"알았다 꼬꼬~!"

황매화빛 과자로 고용한 몬스터 여섯 마리 중 둘이 사라졌다.

가능하면 앞으로의 승부까지 네 마리는 유지해두고 싶다.

특히 데들리 킹은 확실하게 아껴둬야 한다.

결승에서 불러서 간담을 서늘하게 만들어줘야지!

"하지만 어떻게 이동하죠? 프로스트 이글은 쓰러지고 말았는데요……. 하나 더 있나요?"

"아니, 없는데?"

"……그럼 어떻게 하나 꼬꼬~~~!"

"에엑?! 그럼 어쩌죠?!"

"뛰어내리면 링아웃으로 피치 선더호로 돌아갈 수 있어."

"그건 그렇지만, 모처럼 번 포인트가 날아가는데요?!"

"괜찮아, 우리 세 명으로 −7포인트잖아. 여기서 번 것하고 비교하면 흑자라고."

내가 8, 코코루가 5포인트 벌었으니까 합계 13이다.

−7을 당해도 6이나 흑자, 충분하다.

"하지만 조금 아깝네요……."

"괜찮아. 여기서는 포인트보다 중요한 게 있다고 치자고!"

코코루가 얻어낸 자신감은 값으로 따질 수 없다!

"뭐, 그건 그러네요……. 좋아요. 그럼 뛰어내려서 돌아갈까요."

"그래, 그 전에 저쪽에 잠시 멈춰달라고 연락하는 게 좋겠네. 니트로 켠 와중에 재배치됐다가 갑자기 날아가서 장외가 되면 안 되니까."

"그거 터무니없는 일이다 꼬꼬~."

"제대로 메시지를 보내고, 답신을 기다리자."

내가 시스템을 통해 아키라에게 메시지를 보내려 할 때ㅡ.

퍼어어엉!

화염구가 우리 옆을 스쳤다.

음ㅡ 마법 공격인가!

"이쪽을 노리고 있네요ㅡ!"

아카바네의 말대로, 앵커 중앙 부근에 있는 우리를 노리고 좌현, 우현 양쪽 비공정에서 마법이나 화살을 날려대기 시작했다.

아까 쓰러뜨린 적 플레이어가 재배치되어서 다시 우리를 공격한 것이다.

이번에는 섣불리 앵커 위로 올라와서 내 『주작일섬』에 일소되지 않도록 앵커 밖에서 원거리 공격을 해오고 있다.

뭐, 당연한 대책이지ㅡ.

창의적인 발상으로 상대를 한 번 해치우면 대책이 세워지고, 이번에는 그걸 웃돌기 위해 다시 창의적인 발상을 펼친다. 영원히 반복되는 굴레. 대인전이란 그런 것이다.

야구나 축구 같은 스포츠와 똑같단 말이지.

"좋아— 기왕 이렇게 됐으니까 1포인트라도 많이 벌고 죽어서 돌아갈까!"

"좋네요!"

"꼬꼬~!"

우리는 좌현 측에 돌격하려 했지만—.

끼리이이이이이잉! 철컹, 철커~~~엉!

무겁고 시끄러운 금속음!

어설트 앵커가 좌현 배에 꽂혔다.

그리고 앵커를 날린 누군가의 배는 즉시 엄청나게 가속해서 좌현 배로 돌진했다!

그 선체는 눈이 따가울 만큼 전체적으로 핑크.

선수에는 금빛으로 반짝이는 커다란 드릴이 장착되어 있었다—.

응, 우리의 피치 선더호! 객관적으로 보니 엄청나게 이질적으로 비치네!

피치 선더호는 드릴로 좌현 배의 선체를 후벼 파면서 초고속으로 통과했다.

니트로니까. 그야 굉장한 스피드겠지.

그러나 연결된 앵커 덕분에 어느 정도까지 가자 우뚝 멈쳤다.

지나치려던 기세는 앵커에 걸려서 원심력으로 변했고, 반대로 그걸 이용해서 단숨에 부웅 반전하자 선수 드릴이 다시 타깃으로 돌아갔다.

선회에 성공했지만, 아직 추진력의 벡터는 타깃에서 멀어지는 방향이다.

그러나, 거기서—.

투우우우우우웅!

다시 니트로 점화!

바깥으로 나가는 벡터를 니트로의 가속으로 억지로 틀어서 캔슬, 다시 돌진!

좌현 배의 선체가 다시 크게 후벼 파였다.

피치 선더호는 다시 선회&니트로 돌진을 가했다.

"굉장하네, 마에다……! 움직임이 장난 아니잖아—!"

니트로에 이어지는 니트로로 경직을 캔슬하며 골든 드릴로 돌격 연타.

상상 이상으로 무시무시한 변태 기동이다—!

그리고 연속 네 번째 드릴 어택이 들어갔을 때, 타깃이 된 비공정은 완전히 격파되어 연기를 뿜으며 낙하했다.

"오오— 비공정이 통째로 가라앉네! 굉장해~!"

저 안에 카타오카도 있었지……? 불쌍해라!

적 플레이어를 격파했습니다. 데몬즈 크래프트의 전공 포인트 +1.

적 플레이어를 격파했습니다. 데몬즈 크래프트의 전공 포인트 +1.

적 플레이어를 격파했습니다. 데몬즈 크래프트의 전공 포인트 +1.

적 플레이어를 격파했습니다. 데몬즈 크래프트의 전공 포인트 +1.

적 플레이어를 격파했습니다. 데몬즈 크래프트의 전공 포인트 +1.

데몬즈 크래프트의 합계 전공 포인트는 24입니다. 현재 7/48위입니다.

"해냈어요~!"

"코토미, 굉장하다 꼬꼬~!"

그러나 문제도 있다.

좌현 배가 가라앉아서 사라졌기 때문에, 앵커도 지지대를 잃었다.

우리는 우현에 매달린 앵커에 가까스로 달라붙어 있었다.

그러나— 적선을 가라앉힌 피치 선더호가 우리에게 다가

왔다!

"어~이, 렌~ 노조미~ 코코루~~!"

갑판에서 교복 차림으로 돌아온 아키라가 손을 흔들었다.

걱정돼서 마중 나온 모양이다.

"어~~~이! 여기 여기~~~~! 살았어!"

포인트를 쓰지 않고 돌아갈 수 있겠네, 럭키!

합류한 우리는 그 후에도 순조롭게 포인트를 벌었다.

도중에 다시 호무라 선배와 마주쳐서, 이번에야말로 협력 플레이로 싸우기도 했다.

정신없이 하다 보니 제한 시간은 꽤 빠르게 찾아왔다.

그리고— 포인트는 전체 2위!

훌륭하게 최종 결승까지 진출하게 되었다!

"""""형~~~~ 멋있었다 삐약! 굉장하다 삐약~!"""""

배틀로얄을 마치고 부두로 돌아오자, 코코루의 동생 삐약이들이 코코루를 열렬히 환영했다.

쿠자타 씨를 격파한 활약상을 보인 코코루에게 존경 어린 시선을 보내고 있었다.

"하하하. 운이 좋았을 뿐이다 꼬꼬~."

코코루는 쑥스러워 보였다.

그때 위쪽에서 그림자. 코코루가 올려다보자 그곳에는 쿠자타 씨가 있었다.

쿠자타 씨는 착지하더니 코코루의 동그란 어깨를 탁 두드렸다.

"운도 실력 중 하나라고 하지. ―너는 훌륭하게 나를 이겼다. 그게 결과다. 용케 거기까지 성장했구나. 같은 조인종으로서 강한 젊은이가 나타나 준 것은 기쁜 일이지. 언젠가 명실공히 나를 넘어서 다오."

"고, 고맙다 꼬꼬……."

"그럼 이만. 패자는 나불나불 떠들지 않는 법이니."

쿠자타 씨는 그런 말을 남긴 채 떠났다.

으~음, 진중하네. 무사라니까, 쿠자타 씨.

"정말로 잘했다 꼬꼬~! 아빠도 콧대가 높아졌다 꼬꼬~!"

"몰라볼 정도였어 꼬꼬~. 엄마도 기쁘단다 꼬꼬~!"

"이거 돌아가면 축하 파티를 열어야겠다 꼬꼬~! 너는 코케족의 영웅이다 꼬꼬~!"

"응! 성대하게 축하하자 꼬꼬!"

나도 혼신의 마개조가 작렬해서 만족스럽다!

모두 기뻐해 줘서 다행이네.

"아빠도 호들갑스럽다 꼬꼬~. 아직 예선 돌파했을 뿐인데 꼬꼬? 게다가 정말 굉장한 건 렌이다 꼬꼬. 나 같은 녀석을 맨 먼저 눈여겨보고 받아들여 줘서, 여기까지 단련해줬다 꼬꼬~."

코코루가 그렇게 말하자, 삐약이들이 일제히 나를 바라봤다.

"""""사부~! 우리도 강하게 해줘요 삐약~!"""""

그리고 달라붙었다. 우오오오! 귀엽네!

"오? 그래. 그럼 제2회가 있다면 나한테 올래? 프린세스 스컬 링은 놔두고 있을게."

나는 삐약이들을 어루만지면서 답했다.

"타카시로—!"

그때, 아카바네가 내 소매를 당겼다.

"응? 뭔데?"

"뭔데, 가 아니라고요! 약속했잖아요. 아키라에게 설명하는 걸 도와주겠다고……?!"

"아, 그랬었지."

이제 와서 아키라가 화낼 리가 없고, 싱글벙글 웃으면서 받아들여 줄 것 같은데.

그냥 가볍게 실은 그랬습니다~ 라고 말하면서 사과 한마디 하면 충분할 것을.

뭘 그렇게 겁먹고 있는 건지—.

"그럼 가볼까—."

마에다네와 이야기를 나누고 있는 아키라에게.

아카바네는 내 뒤에 숨어서 따라오고 있다.

"어~이, 아키라~."

"왜 그래? 렌."

웃으며 돌아본 아키라가 내게 말을 시작하기 전에, 다시 옆에서 누가 말을 걸어왔다.

"아가씨! 수고하셨습니다—!"

"아, 아리마 씨."

아키라는 그렇게 대답하면서 이쪽을 힐끔 보더니, 의미심장한 눈짓을 보냈다.

들키지 않았네, 다행이야. 그렇게 말하고 싶은 거겠지.

미믹 팬 덕분에 아키라의 모습을 능숙하게 숨기면서 넘어설 수 있었다.

마에다가 백병전 말고 비공정 배틀로 적선을 마구 가라앉힌 덕분에, 백병전 자체가 그리 많이 발생하지 않았으니까.

뭐, 무사히 즐기면서 넘어설 수 있게 되어 다행이다.

"게임 중이라고는 해도, 박력이 넘쳐서 보기 즐거웠습니다. 참관을 허락해주셔서 감사합니다."

"아뇨, 마음에 드신 것 같아서 기쁘네요."

"네. 게다가 아가씨는 무척 즐거워 보였고, 빛나고 있었던 것 같습니다. 저는 이렇게 즐거워하는 아가씨를 처음 봤군요."

"후훗. 평소에는 내숭 떨고 있다고 말씀하시는 건가요?"

"하하하하. 천만에요."

부드러운 상류층의 대화가 이루어졌다.

흐~음. 현실의 아키라는 이렇구나.

왠지 대단하네. 귀족 같고!

그때, 아리마 씨가 이쪽을 봤다.

약간 경계심 어린 눈동자와 눈이 마주쳤다— 라고 생각했지만 아니었다.

이 사람은 내 뒤에 있는 아카바네를 보고 있었다.

"하지만…… 괜찮으십니까? 그쪽은 아카바네 가의 노조미 님이라고 생각하는데……."

가문끼리 사이가 나쁘다고 했었나.

그 탓에 아키라와 아카바네도 처음에는 미묘한 느낌이었다.

아키라도 함께 아카바네를 바라봤다.

아카바네가 조금 긴장한 듯이 숨을 삼키는 걸 알 수 있었다.

아리마 씨가 노려본 건 아무래도 좋고, 스칼렛이라는 걸 비밀로 한 탓에 아키라가 화내지 않았나 두려운 거겠지.

사실은 얘, 아키라와 너무너무 친구가 되고 싶은 건데 말이지.

그리고 아키라가 입을 열었다—.

"가문이 어떻고는 상관없어요. 우리는 친구였으니까요. 친구였던 사람이 우연히 노조미였고— 친해질 수 있다는 걸 아는데, 하지 않을 이유는 없잖아요? 그러니까 괜찮아요. 그렇죠? 노조미!"

방긋 웃는 밝은 미소.

응, 역시 아키라라면 이렇게 나오겠지.

나는 화낼 리가 없다는 것을 알고 있었다니까. 오래된 사이니까.

"그, 그렇죠……! 게다가 지금까지 관계가 안 좋았다고 해도, 앞으로도 그러리라고는 할 수 없잖아요? 우리 젊은이는 미래 지향이라고요!"

머리카락을 사악! 쓸어올리며 멋지게 말할 속셈이었겠지만, 어지간히 기쁘고 안심했는지 입가가 반쯤 실룩거리고 있었다.

"하하하하. 저도 아직 20대라 젊은이라면 젊은이입니다만—"

"스스로 그렇게 말하는 사람은, 아마 이제 젊은이가 아니라고 생각하는데요?"

"그럴까요? 이거이거— 하지만 알겠습니다. 주제넘은 말씀을 드렸군요. 용서해 주시길."

자, 그럼. 다음은 우승 결정전. 진짜 파이널 배틀이다—!

참고로 베스트 4에 남은 것은—.

우리 데몬즈 크래프트.

성장률 No.1인 알프레드가 있는 힐 더 힐.

유키노 선배의 미스틱 아츠.

호무라 선배의 그랑 뮤지엄.

이었다.

성장률 No.1인 알프레드가 올라온 건 당연하고.

전체적으로 봐도 1, 2위를 다툴 실력을 가진 영웅 후보 NPC인 미코토가 있고, 게다가 구성원이 골수 대인전충인 유키노 선배네가 있는 것도 당연.

호무라 선배 쪽은 NPC가 초기 레벨 7인가 8 정도의 아저씨 상인 브루노 씨였으니까, 은근히 놀랍다.

그리고 우리는 그 최약체 코코루를 골랐는데 말이지—!

이거 무척 놀라겠는데.

『자, 그럼! 최종 결전에 남은 길드는 본부석에 집합해 주세요~! 마지막 대전 방법을 결정하겠습니다!』

나카다 선생님의 안내음성이 나왔다.

자~ 그럼, 최종 결전 가볼까!

◆◇◆

『자, 그럼. 드디어 찾아왔습니다. 길드 대항 미션 최종 결전! 올해는 첫 시도로서 NPC 육성 요소를 도입한 「영웅 육성」 이벤트를 진행하고 있습니다만, 과연 어느 영웅이 정점에 설까요?! 그걸 지금부터 정하도록 하죠! 자, 마지막에 남은 영웅은 이 녀석들이다! 나와라아아아아아아!』

나카다 선생님의 기세등등한 중계가 대회장에 울려 퍼졌다.

여기는 부모님들이 조금 전까지 배틀로얄을 관전하던 관객석이다.

스타디움형으로 되어있어서, 중앙에는 판타지스러운 거대 모니터가 사방을 둘러싸며 배치되어 있고, 모두가 나카다 선생님의 중계와 함께 즐겁게 보고 있었다.

그리고 지금 나카다 선생님의 부름과 함께, 모니터가 스으윽 사라지고, 대신 돌로 된 원형 링이 슬금슬금 지면에서 솟아올랐다.

둥둥둥둥! 피슈우우우우우웅!

폭발, 연기, 그리고 불꽃!

프로레슬링 연출 같은 느낌이네! 중계도 그런 것 같고!

그리고 솟아오른 링 위에는 네 명의 영웅 후보 NPC가!

코코루, 브루노, 미코토, 알프레드 네 명이다.

와아, 하고 함성이 솟구치며 그들을 감쌌다.

이 멤버들은 분명 의외의 조합으로 비치겠지.

아마 코코루와 브루노 씨가 빠지고 대신해서 셸피나 쿠자타 씨가 들어가면 적절하게 보일 것이다.

셸피는 소속 구단이 육성 방침을 그르쳤고—.

쿠자타 씨는 아까웠지. 5위였으니까.

게다가 4위인 호무라 선배네와는 3포인트 차이.

코코루에게 격파당하지 않았다면 여기에 남아있었을 거다.

코코루는 쿠자타 씨 몫까지 맡아서 조인종 대표로 힘내줘야겠지.

"코코루! 힘내라~~~~!"

"코코루~! 이길 수 있어~~~! 자신을 믿어~~~!"

나와 아키라는 링 사이드 바로 옆에 있는 관계자석에서 코코루에게 응원을 보냈다.

""""""형~~~~! 파이팅이다 삐약~~~!""""""

동생인 삐약이들도 기합이 들어가 있네!

코코루는 우리에게 시선을 보내고는, 다부진 표정으로 끄덕였다.

오, 좋네. 쫄지 않았어! 쿠자타 씨와 싸운 이후로 자신감이 붙었구나!

이제 코코루는 각성했다고 봐도 과언이 아니다.

자, 우승해서 어서 내게 그 말을 하게 해달라고—!

그 한마디를—! 그 전설의 대사를—!

엄청 기대하고 있으니까!

"우후후후……."

"읏?! 아하하하…… 렌, 코코루를 빨리 우승시킬 생각이 넘치는구나."

"오? 어떻게 알아챘어?!"

"아니, 당연히 알지……. 그 수상한 웃음은, 코코루는 내가 키웠다는 말을 하고 싶어서 근질거린다는 표정인걸. 그걸 상상해서 이미 기분 좋아진 거지?"

"흐~음. 그렇긴 한데, 그렇게 알기 쉽나?"

"응응. 그리고 나도 말하고 싶으니까!"

반짝~악! 아키라의 눈이 빛났다.

역시 마음이 잘 맞는단 말이죠!

"코코루가 강해져서 기쁘니까! 처음 봤을 때는 걱정됐지만!"

처음 봤을 때는 다른 조인종에게 괴롭힘을 당하고 있었으니까—.

아키라는 그걸 보고 무척 발끈했었지. 진심으로 화내고 있었다.

하지만 이제 그런 일은 일어나지 않겠지—. 코코루는 강하게 성장했으니까.

"""""사부~! 형 이길 수 있어 삐약?!"""""

삐약이들 안에서 나는 완전히 사부 포지션이 된 모양이다.

언젠가 너희도 내가 키워주길 바란다면, 기꺼이 사부가 되어주지!

"그래, 이길 수 있어! 왜냐하면 코코루에게는 아직 히든카드가 남아있으니까."

"응웅. 반드시 이길 수 있으니까 안심해도 돼♪"

아키라가 기뻐하며 삐약이들을 쓰다듬었다.

역시 귀여워서 쓰다듬고 싶어진다.

"그래요. 형을 믿어요."

"굉장한 히든카드니까."

"여유롭게 이길 테니까 여유롭게 보고 있으면 된다구."

아카바네, 마에다, 야노도 이야기에 끼어들어서 삐약이들을 쓰다듬었다.

다들 만지고 싶어 하는구나.

삐약이들의 마력 굉장하네. 나조차도 귀여워서 쓰다듬고 싶어지는 레벨이다.

여성진이 참을 수 있을 리가 없나.

그러나 나의 최고는 역시 류이기에, 나는 류를 끌어안았다!

참고로 최종 결전 내용은, 우리가 전원 링 밖에 있는 것으로도 알 수 있듯이, 각 길드의 영웅 후보만 치르는 일제 배틀이다.

대인전충인 유키노 선배는 자기들도 참가하고 싶었겠지만, 나는 NPC만 벌이는 배틀로얄을 제안했다. 확률적으로 그게 가장 이기기 쉽다고 판단했으니까.

알프레드 쪽의 로리 소녀 길드 마스터 히지리사와 선배는 어느 쪽이든 상관없다고 했고, 호무라 선배는 내 의견에 맞춰주었다.

그래서 NPC만 하자는 것 두 개, 플레이어 포함이 한 개든 제비를 나카다 선생님이 뽑아서 대전 방법을 정했다. 결과, 확률에 맞게 NPC만 치르는 최종 결전이 정해졌다.

불확정 요소를 최소한으로 줄이는 배틀이다.

역시 얽히는 사람이 많을수록 불확정 요소가 들어가기 쉬워지니까.

NPC만 하는 배틀이라면, 코코루가 데들리 킹을 부르면 이길 수 있다!

일격에 다른 세 명을 전멸시키며 종료, 그런 느낌이겠지.

『자, 그럼 결승전—! 레디이이이이이이이— 고오오오오오오오오오!』

나카다 선생님의 목소리가 드높이 울려 퍼졌다!

마지막 싸움의 막이 올라가고, 링 위의 네 사람이 각자 전투태세를 취했다.

처음에는 낌새를 살피……지는 않았다.

코코루가 맨 먼저 움직였기 때문이다.

"꼬꼬!"

곧장 아이템을 꺼내서 사용했다.

코코루는 티소나의 비약을 사용했다.
코코루의 AP가 100 늘었다!

음, 첫수 도핑이다! 좋네!

티소나의 비약(OEX)
　　종류 : 소비 아이템
　　　　사용자의 AP를 100 늘린다.
　　　　스킬 『경파(鯨波)』와 동일한 효과.

참고로 효과는 이렇다.

동료 몬스터의 특수기를 사용하기 위해서는 코코루의 AP

가 필요한데, 유감이지만 맨몸의 코코루는 적에게 공격을 맞힐 수가 없기 때문에 AP를 얻으려면 공격을 맞아서 모아둬야만 한다.

그러나 코코루의 HP는 낮다.

자칫하면 AP가 모이기 전에 당한다.

그래서 개막하자마자 바로 AP를 얻기 위해 저 아이템을 쓴 거다.

그러나, 아이템의 속성은 OEX.

O는 하나밖에 가질 수 없다. EX는 타인에게 양도할 수 없다.

즉, 직접 드롭하는 녀석을 쓰러뜨릴 수밖에 없다.

네, 갔지요! 골든 버니의 정보를 퍼뜨린 덕분에 다른 사냥터가 비었으니까.

오늘 대회 중에는 보충할 수 없기 때문에 지금까지 아껴둘 필요가 있었다.

"인페르노 아머! 와줘라 꼬꼬~!"

코코루가 불렀다.

두웅! 오렌지색 갑옷인 인페르노 아머가 다시 등장!

단, 앞서 쿠자타 씨와 길동무가 되어 링아웃된 그와는 다른 개체다.

코코루의 골든 옐로 스위츠의 몬스터 스톡수는 6이지만, 그중 3이 인페르노 아머였다. 이 녀석은 코코루와 상성이 좋으니까.

　그리고 프로스트 이글에 히든카드인 데들리 킹, 마지막은 회복도 돕기 위해 회복마법을 사용하는 버니계 몬스터인 클레릭 버니를 고용했다.

　코코루는 골든 버니에게 너덜너덜하게 당해가면서 레벨을 올렸기 때문에 버니 계통 몬스터는 거북한지, 보기만 해도 몸이 아프다 꼬꼬~ 하고 말했었지만.

　"『장착 빙의』다 꼬꼬!"

　찰칵찰칵! 철컹! 까아아아아앙!

　이렇게 보니 완전히 성0사가 크로스를 입는 장면이네.

　뭐, 오렌지색의 화려한 색상이고, 입는 사람은 닭이긴 하지만!

　"다들 한꺼번에 덤벼라 꼬꼬!"

　코코루가 다른 세 명의 딱 중앙까지 나갔다.

　그 노림수는 나도 알 수 있었다. 상대를 한곳에 모으기 위해서다.

　그래, 잘한다. 코코루!

　대담한 코코루의 행동을 본 알프레드가 표정을 확 가다듬었다.

　"코코루. 성장했구나—. 예전의 너와는 너무 달라. 하지만 나도!"

알프레드가 검을 뽑았다. 오오, 어느새 이도류가 되었잖아!

"하아아앗!"

알프레드의 검이 새하얀 빛의 오라에 휩싸였다.

오오? 빛의 마법검인가?

역시 성장률 No.1, 처음에는 약해도 대기만성형이라 마지막에는 최강인 건가.

뭐랄까, 알프레드는 용사 같네.

용사 속성, 주인공 속성이랄까.

―저런 우대 캐릭터한테 지지 말라고! 코코루!

"이쪽이 진짜 코코루네! 네게 원한은 없지만, 너희 길드 마스터는 마음에 안 드니까! 맨 먼저 쓰러뜨려 주겠어!"

응. 기습으로 5포인트 가져갔으니까.

그 일로 미코토에게 원한을 사게 된 모양이다.

미안, 코코루. 힘내라!

"으음― 그럼 나도―"

브루노 씨도 무기를 들었다. 정말 어디에나 있는 평범한 아저씨다.

호무라 선배 쪽과는 동맹을 맺었지만, 마지막은 영웅 후보 NPC에게 맡기고 원한 가지지 말자고 해서, 마음껏 싸우게 되었다.

알프레드, 미코토, 브루노 씨 세 명이 코코루에게 공격을 가했다.

거리가 줄어든다. 3대 1의 접근전이 시작됐다.

알프레드의 공격. 인페르노 아머에 66의 대미지.
미코토의 공격. 인페르노 아머에 97의 대미지.
브루노의 공격. 인페르노 아머에 21의 대미지.
인페르노 아머의 공격. 알프레드에 71의 대미지.

로그의 흐름은 명백하게 풀 아머 코코루가 밀리고 있다.

근데 브루노 씨만 조금 대미지가 떨어지네.

뭐, 그만큼 주목할 NPC는 아니었으니까.

레벨로는 코코루가 100, 미코토 78, 알프레드 75, 브루노 씨 73이라 그렇게까지 큰 차이는 아니지만…….

역시 재능 차이인가—. 미코토도 알프레드도 엘리트니까.

코코루는 재능의 벽을 마개조로 클리어했지만!

그래도 올라왔다는 건, 호무라 선배네 마도사 군단이 함대전에 잘 맞았던 것이 크다. 우리와도 협력했으니까.

인페르노 아머의 공격. 브루노에 187의 대미지.

"크학……! 가, 강해—!"

브루노 씨만 풀 아머 코코루에게 당할 것 같은 기세인데!

기왕이면 엘리트 두 사람보다 오래 살아남아서 코코루 대 브루노의 정상 결전을 벌여줬으면 하는데—! 버텨줘, 브루노 씨!

그러나 그 전에—.

"간다, 코코루! 오의『스타 게이트 스트래시』!"

"나도! 오의『그랜드 브레이커』!"

엘리트 두 사람의 오의가 풀 아머 코코루에게 직격했다.

그걸로 인페르노 아머가 쓰러졌고, 깜빡이면서 사라졌다.

그 안에서 코코루 본체가 나타났다.

""이겼다!""

알프레드와 미코토가 코코루 본체를 덮치려 했다.

브루노 씨도 다가오고 있다.

—베스트 진형이다! AP도 문제없어!

"데들리 킹! 나와줘라 꼬꼬~!"

『오오오오오오오오오오~~~~!』

나왔다, 히든카드! 고생해서 동료로 삼은 데들리 킹이다!

오늘도 위압적인 체격에 금빛으로 반짝이는 갑옷에, 새빨갛게 빛나는 눈동자가 멋지구나!

""""앗?!""""

상대방이 경계심을 드러냈지만 이미 늦었다!

"지금이다, 속공이다 꼬꼬!"

코코루의 목소리를 들은 데들리 킹이 검을 지면에 푹 꽂았다.

『똑똑히 보아라! 「붉은 재앙」!』

쿠오오오오오오오오오!

지면에 꽂은 검을 중심으로 맹렬한 불꽃이 터져 나왔다.

그것은 방사형으로 퍼지면서 다른 세 사람을 삼켜버렸다.

공격을 가하려 했을 때라서 카운터가 발동해서 반응하지 못한 거겠지.

데들리 킹의 붉은 재앙이 발동.

알프레드에 2525의 대미지. 데들리 킹은 알프레드를 쓰러뜨렸다.

미코토에 2525의 대미지. 데들리 킹은 미코토를 쓰러뜨렸다.

브루노에게 2525의 대미지. 데들리 킹은 브루노를 쓰러뜨렸다.

음! 역시 히든카드, 기대한 그대로의 활약이로구나!

『오오오! 여기서 대역전입니다아아아아아아! 일격에 다른
세 명을 쓰러뜨렸습니다아아아아!』
　후하하하하하! 보았느냐, 이걸 위해 히든카드를 아껴뒀다고!
　"좋았어어어어어어! 계산대로!"
　"해냈네, 렌!"
　나와 아키라는 하이파이브를 나눴다.
『끝났습니다아아아아~~~! 데몬즈 크래프트의 코코루
선수가 불러낸 데들리 킹이 일격으로 끝내버렸습니다아아
아아아아!』

　""""형~~~~! 굉장하다 삐약~~!""""

　삐약이들도 크게 소란을 부렸다.
　"어때?! 봤지, 너희 형은 굉장하지!"
　흥분한 삐약이들이 내게 달라붙었다.

　""""진짜다 삐약~~! 사부 최고다 삐약~~~!""""

　음음!
『자, 그럼 우승 길드 데몬즈 크래프트 길드 마스터 타카시
로 렌 군! 우승이 정해졌는데, 한마디 부탁드립니다!』
　날개 달린 마이크가 내 눈앞으로 스르륵 날아왔다.

한마디?! 그럼 무슨 말을 할지는 뻔하지!

"코코루는 내가 키웠다!!!!!"

『네! 정말 감사합니다!!』

내 한마디를 들은 날개 달린 마이크는 그대로 스르륵 관객석 안에 설치된 중계석으로 돌아갔지만—.

관객석과, 우리가 있는 그라운드 구역 사이에서 멈춰버렸다.

어느새 나타난, 연보라색 장벽에 막혀버린 것이다.

"응—?!"

"렌! 위쪽도!"

아키라가 손가락을 위로 들었다.

어느새 생긴 연보라색 장벽이 그라운드 부분을 뒤덮는 돔 형태로 넓어져 있었다.

……이미지가 엄청 불길한데, 이런 보라색은 완전 적의 색상이잖아!

나와라 나와라! 적이 온다~~~!

그리고 내 예상도 그리 틀리지는 않았다—.

"큭큭큭큭큭—!"

알프레드와 미코토가 아직 붉은 재앙의 대미지에서 회복하지 못한 가운데, 브루노 씨가 스윽 일어났다.

마치 아무 일도 없었다는 듯이. 그리고 수상한 웃음소리를 내면서.

그리고 그 모습이, 점점 변해갔다.

나타난 것은— 엷은 물색 머리를 한, 신경질적이지만 단정한 얼굴의 청년 캐릭터.

프로이 야신　레벨 80　왕관 아이콘(레어 몬스터)

"아아아앗! 프로이냐?!"

코코루의 출신국인 미슈리아와 적대하는 카라나트 교주국의 간부다.

전에 프리즌 터틀이 대량 발생했을 때도 부유도시 티르나에 나타났지만, 영웅 후보 NPC로 변장해서 잠복해 있었나!

프로이는 링 사이드에 있는 우리를 번뜩 노려봤다.

"여어— 오랜만이군! 전에는 방해를 받았지만, 카라나트 교주국과 싸우는 미슈리아에게 영웅 따위는 필요 없단 말이지."

그렇게 말하며 웅크리고 있던 알프레드를 짓밟았다.

"그, 그렇겐 못한다 꼬꼬~! 데들리 킹!"

코코루는 데들리 킹을 싸우게 하려고 했지만—.

그 목소리에 응하는 자는 아무도 없었다.

"앗?! 꼬꼬! 어디 간 거냐 꼬꼬~!?"

아앗! 데들리 킹 녀석! 벌써 전투 종료 판정이라 돌아간 건가?!

왜 이런 중요할 때—!

아니, 뭐 딱 좋을 때 붉은 재앙을 먹여주긴 했지만!

가격에 비해 노동 시간이 너무 짧잖아!

"흥—!"

프로이가 코코루의 목덜미를 잡아서 들어 올렸다.

"여기서 영원히 사라져 줘야겠어? 이 녀석들이 톱 3이니까!"

프로이가 흉악한 미소를 지었다.

"렌! 구해야 해!"

"그래!"

그러나, 이 자리에 있는 건 우리만이 아니다.

"흐흥, 내 눈에 흙이 들어가지 않는 한 두고 볼 순 없지—! 무능한 여동생이 저지른 불상사는 언니인 내가 뒤처리해주마. 그 대신 앞으로 영원히 이 실수를 책망하는 벌을 내리기로 하겠어—!"

"네 도움 같은 건 필요 없거든! 우리 뮤지엄에 프리즌 터틀의 알을 놔둔 것도 너지? 그것 때문에 배치가 흐트러져서 고생했는데—. 게다가 우리를 속이다니 배짱 좋구나. 내가 날려버릴 테니까!"

유키노 선배와 호무라 선배도 있었다.

레벨 200클래스의 선배들이라고! 프로이가 레어 몬스터 보정으로 다소 강해지긴 했지만, 레벨 80으로는 상대가 되지 못한다.

게다가 알프레드 쪽에는 히지리사와 선배도 있으니까!

"으~음, 어떻게 할까—. 알프레드는 위기일지도 모르지만,

힐 더 힐로서는 적으로 돌아서고 싶어서 근질근질한데……!"

……히지리사와 선배. 이 사람은 대체—.

뭐, 유키노 선배나 호무라 선배 중 누군가가 발을 묶고, 다른 누군가가 프로이를 쓰러뜨리면 문제는 없겠지. 이건 나나 아키라가 나서지 않아도 바로 끝날지도—?

그러나 프로이는 여유로운 미소를 지우지 않았다.

"큭큭큭큭큭—! 그렇게 둘 순 없지!"

프로이의 목소리와 함께, 돔 모양으로 덮인 그라운드에서도 연보라색 연기 같은 것이 나오기 시작했다. 그리고—.

프로이의 명계의 안개가 발동.
렌의 레벨 상한이 80으로 제한되었다!
아키라의 레벨 상한이 80으로 제한되었다!
코토미의 레벨 상한이 80으로 제한되었다!
유우나의 레벨 상한이 80으로 제한되었다!
노조미의 레벨 상한이 80으로 제한되었다!
유키노의 레벨 상한이 80으로 제한되었다!
호무라의 레벨 상한이 80으로 제한되었다!
아이코의 레벨 상한이 80으로 제한되었다!

"우왓?! 레벨 제한 효과냐?!"

우리는 애초에 80까지 가지 못했으니까 상관없지만, 유키노 선배네는 전력이 대폭 다운됐다.

"이 녀석들은 내가 직접 지옥으로 보내주마—! 두 번 다시 돌아올 수 없도록!"

프로이의 발밑에 흉흉한 디자인의 마법진이 빛나면서 나타났다.

"코키토스 폴……! 이걸로 지옥에 떨어진 녀석은, 영원히 돌아올 수 없지……! 모처럼 키웠는데 유감이구나!"

프로이의 코키토스 폴의 발동까지 180초!

발동할 때까지의 카운트다운 로그가 나왔다.

야, 이거 진짜 3분 지나면 코코루네가 사라지는 건가—?!

『어어어어어이쿠, 이거 큰일이 벌어졌군요! 솔직히 이 이벤트는 저도 듣지 못했습니다! 어떻게 되는 걸까요오오오오! 결계가 펼쳐져서 바깥에서는 손을 댈 수 없습니다! 내부에 있는 결승 진출 길드 사람들에게 맡길 수밖에 없겠군요!』

히든 이벤트 같은 건가?

조건은 아마 프로이가 변장한 브루노 씨의 결승 진출이고?

우리도 의도치 않게 협력해버렸다.

아무튼 멈추지 않으면 위험하겠어!

세세한 일은 다 제쳐놓더라도, 코코루는 친구니까!

"3분이나 있다면—! 렌! 애들아! 해치우자!"

레벨 80으로 떨어졌지만, 유키노 선배는 유키노 선배. 용감하게 먼저 돌진했다.

"이크! 내가 있는 걸 잊었어?! 유키노!"

히지리사와 선배가 유키노 선배 앞을 가로막으며 커다란 낫을 휘둘렀다.

"큭ㅡ! 이 녀석⋯⋯!"

"열심히 육성한 영웅 후보들이 소멸할 위기에 처했을 때 대인전을 벌이는 것도, 꽤 괜찮지 않을까?! 안 그래? 유키노~? 대인전충답게 불타지 않아?"

"바보 같은 소리 하지 마라! 때와 장소를 가려라!"

"흐흥! 얼마 전의 앙갚음이야~! 먼저 사과해둘게. 미안해~!"

"너희 쪽의 알프레드도 사라진단 말이다! 그래도 상관없는 거냐!"

"그런 말은 안 했거든. 나도 그 정도로 악당은 아니니까~."

히지리사와 선배가 알프레드를 바라봤다.

"아, 아이코 씨⋯⋯!"

"어~이, 프로이. 굉장한 마법 외우는 와중에 미안하지만, 알프레드만 봐줄 수 없을까? 그럼 네게 협력해줄 건데?"

"아아앙? 닥쳐, 빌어먹을 꼬맹이! 네년의 조력 같은 건 필요 없어. 돌아가서 엄마 젖이라도 빠시지!"

뭐, 확실히 히지리사와 선배는 선배이긴 하지만 로리란 말이지.

자칫하면 초등학생으로 보일 정도니까—. 그리고 그 말을 들은 선배는 울컥한 모양이다.

"울컥~! 이래 봬도 난 벌써 18세거든! 그럼 됐어! 유키노! 적의 적은 아군이니까 여기서는 협력해줄게! 어디까지나 어쩔 수 없어서 그러는 거거든! 그건 잘 알아둬!"

왠지 조금 연극 냄새가 나는데—.

게다가 조금 안도한 표정으로 보인다.

"솔직하지 않은 녀석이군. 협력하고 싶으면 처음부터 그렇게 말해라!"

"그, 그그그그렇지 않거든! 말했잖아! 적의 적은 아군일 뿐이야!"

평소처럼 악역을 즐기는 롤 플레이를 유지하면서, 협력 플레이를 하기 위한 명분을 만든 건가?

뭐, 코코루네를 말소하려는 프로이가 그렇게 간단히 응할 리가 없으니, 거절할 것을 미리 예상하고 교섭하는 척을 한 거겠지.

역시 히지리사와 선배도 알프레드에게 정이 든 모양이다.

하지만 협력해주는 건 그렇다 치더라도, 이 대화로 1분 가까이 지났다고!

프로이의 코키토스 폴의 발동까지 120초!

앞으로 2분!

"당장 정리하자! 볼캐닉 플레임!"

호무라 선배의 화염 마법이 프로이에게 쏟아졌다—!

"흥— 나와라, 주빙수(呪氷樹)들아!"

케케켁! 케켁! 케케케케켁!

반짝이는 얼음에 뒤덮인 나무들이 이곳저곳에서 솟아올랐다!

나무줄기에는 얼굴이 떠올라 있고, 가지는 손처럼 움직이고 뿌리 부분을 다리처럼 움직이며 이동하고 있다. 이른바 트렌트계 몬스터다.

코키토스 트렌트　레벨 68　왕관 아이콘(레어 몬스터)

숫자가 많은데—! 열 마리 아래가 아니다.

게다가—.

"케케케케케~엣!"

호무라의 볼캐닉 플레임이 발동.
코키토스 트렌트는 프로이를 감쌌다! 122의 대미지!

로그에 나왔듯이 코키토스 트렌트가 프로이를 감싸서 공격을 대신 맞았다!

게다가 등장한 코키토스 트렌트의 절반 정도가 프레이 주변을 둘러싸는 원형을 이루더니, 가지와 가지를 옭아매서 방벽으로 변했다.

"완전히 시간 벌기로 나왔잖아!"

"빨리 뚫어야 해!"

"케케케! 케켓! 케케케케케~엣!"

그리고 절반은 이쪽으로 다가온다!

"다들 모여! 강화해줄게!"

호무라 선배가 우리를 불렀다.

우리는 즉시 선배 주변에 모였다.

"비싸니까 감사하라고!"

호무라 선배가 램프 같은 것을 꺼내서 들었다.

그러자 안에서 반짝거리는 빛의 입자가 나와 우리에게 쏟아졌다!

호무라는 무신의 향로를 사용했다!
렌의 공격력과 마법 공격력이 상승했다!
아키라의 공격력과 마법 공격력이 상승했다!
코토미의 공격력과 마법 공격력이 상승했다!

유우나의 공격력과 마법 공격력이 상승했다!

노조미의 공격력과 마법 공격력이 상승했다!

유키노의 공격력과 마법 공격력이 상승했다!

호무라의 공격력과 마법 공격력이 상승했다!

아이코의 공격력과 마법 공격력이 상승했다!

과연, 공격력 강화인가, 이걸로 단숨에 밀어붙이라는 거 군—!

"고마워요, 호무라 선배!"

"원래는 네가 저지른 불상사다. 이 정도는 당연하지."

"뭐어?! 조금은 감사하라고! 어차피 근육뇌는 이런 아이 템 갖고 있지도 않잖아!"

"흥! 렌! 나는 적의 벽을 무너뜨리겠다! 다가오는 녀석들의 처리 방법을 생각해줘!"

유키노 선배는 그렇게 말하면서 벽 쪽으로 향했다.

"그럼 나한테 맡겨두라구! 호무호무 선배! 이쪽으로 오는 녀석들한테 광역 마법을 날려줘! 그 후에 내가 한꺼번에 어 그로 가져갈 거니까!"

호무라 선배의 광역 마법 ⇒ 야노의 길티 스틸로 모든 어 그로를 맡는 건가.

"류는 야노 쪽에 붙어 있어!"

"큐우~! 알았어~!"

디어질 서클로 마라톤을 할 수 있게 하자!

이걸로 적은 끌어들일 수 있다.

"그럼 나는 그 보조를!"

"나도!"

"아키라, 히지리사와 선배! 우리는 유키노 선배와 함께 벽을!"

"오케이, 렌!"

"알았어~. 여기서는 지시를 따라줄게."

"좋았어, 해보자고―!"

호무라 선배가 적에게 광역 마법을 날렸다.

"그케케켓! 그케케케케케케~엣!"

말려든 코키토스 트렌트가 호무라 선배에게 향했다!

"길티 스틸!"

거기서 야노가 호무라 선배에게서 어그로를 가져갔다!

일제히 적의 시선이 야노에게.

"디어질 서클!"

나도 바로 류를 타깃으로 삼아 둔화 서클을 전개.

범위는 꽤 넓게, 오의를 위한 MP 조절도 겸했다.

"좋았어, 뒷일은 맡겨두라구!"

방패를 단 야노가 믿음직하게 말했다.

원래 방패 직업 지향이었으니까, 이런 버티는 시추에이션을 좋아하는구나. 야노.

"좋아, 우리는 안쪽으로―."

뒤쪽은 다른 일행에게 맡기고! 유키노 선배를 쫓아가자!

"저기, 선배. 잠깐 모습을 빌려도 될까요?"

그때, 교복 차림의 아키라가 히지리사와 선배와 교섭했다. 이런 상황이긴 해도, 모습을 보이면 곤란하니까.

"응? 괜찮은데?"

"좋았어! 그럼—."

선배를 미믹 팬으로 살짝 때리고는 바로 의태를 발동!

펑! 하고 연기가 나오자 히지리사와 선배가 두 명이 되었다.

"우와! 가벼워서 움직이기 쉬워~!"

아키라가 놀라서 목소리를 높였다.

"잠깐, 그거 가슴 이야기지! 뭐야 그거, 자랑이야?! 자기는 크다고 잘난 척은!"

"아, 죄, 죄송해요 죄송해요…… 엄청 편해서, 그만—."

"거기까지! 이제 90초 남았어!"

나는 두 사람을 제지하면서 한발 먼저 벽에 공격을 가하고 있는 유키노 선배에게 시선을 돌렸다.

유키노 선배는 도끼 이도류와 발차기의 복합 공격으로 벽을 구성하는 코키토스 트렌트를 퍽퍽 공격하고 있었다.

유키노의 공격. 코키토스 트렌트는 가드. 40의 대미지.
유키노의 공격. 코키토스 트렌트는 가드. 52의 대미지.
유키노의 공격. 코키토스 트렌트는 가드. 44의 대미지.

저 녀석, 교활하네. 완전히 공격을 버리고 가드에 전념하고 있다.

가드 자세인 채로 움직이지 않는다!

호무라 선배의 강화 아이템 효과도 받고 있을 텐데—.

녀석의 가드는 꽤 단단하다!

우리도 달려가서 공격 참가! 나도 일반공격으로 AP를 쌓아야지!

가드 위에서 네 명이 끊임없이 공격했지만, HP 바는 3할도 줄지 않았다.

이거, 위험한데—!

프로이의 코키토스 폴의 발동까지 60초!

이래서는 벽조차도 뚫을 수 없어!

"그렇다면— 『인피니티 리버스』!"

보레아스로 인피니티 리버스를 썼다!

유키노의 인피니티 리버스가 발동.

코키토스 트렌트는 가드. 77의 대미지.

코키토스 트렌트는 가드. 73의 대미지.

코키토스 트렌트는 가드. 75의 대미지.

코키토스 트렌트는 가드. 72의 대미지.

코키토스 트렌트는 가드. 77의 대미지.

코키토스 트렌트는 가드. 74의 대미지.

코키토스 트렌트는 가드. 76의 대미지.

체력을 깎는 속도가 빨라졌나—!

그러나, 녀석은 넉백 당하지 않았다. 그 자리에 계속 버티고 있다.

강 넉백도 무효인가—!

게다가—.

"그케케케케케~엣!"

코키토스 트렌트의 몸이 번쩍번쩍 빛에 휩싸였다.

코키토스 트렌트는 일광욕을 발동.

코키토스 트렌트의 HP가 1348 회복!

단숨에 HP 바가 최대까지 돌아갔다!

"앗?! 회복기냐!"

녀석 자신은 공격해오지 않지만, 우리의 공격 대미지를 받기 때문에 피격 AP가 쌓여있었을 거다.

그걸 사용해서 회복이라니—!

이래서는 아무리 공격해도 HP가 줄지 않아⋯⋯!

지금 느낀 바로는, 우리가 가하는 대미지와 녀석이 획득하는 피격 AP 회복은 균형을 이루고 있다.

　공격 횟수를 떨어뜨려서 녀석에게 주는 AP를 줄이며 공격해야겠어!

　"그케케켓~! 그케케케케케~엣!"

　그리고 녀석이 다시 움직였다!

　일광욕을 발동한 코키토스 트렌트 양옆에 있던 녀석들의 눈이 서치라이트처럼 빛나며 우리를 비췄다.

코키토스 트렌트는 안티 매직 라이트를 발동.
렌에게 걸린 특수 효과가 사라졌다!
유키노에게 걸린 특수 효과가 사라졌다!

　"윽……! 강화 해제인가!"

　"그런 것 같네요!"

　우리는 그 빛을 받아 눈을 가늘게 뜨며 말했다.

　우리를 비춘 것은, 일광욕을 사용한 녀석 왼쪽에 선 개체다.

　오른쪽 녀석도 똑같이 발동했다.

　그것이 아키라와 히지리사와 선배에게 향했다!

　"아키라! 장비 되돌려! 보일 거야!"

　우리에게 먼저 와서 다행이다. 아키라에게 경고해줄 수 있었다.

"장비 변경, 세트 C!"

아키라가 외친 직후에 빛이 닿았다.

코키토스 트렌트는 안티 매직 라이트를 발동.
아키라에게 걸린 특수 효과가 사라졌다!
아이코에게 걸린 특수 효과가 사라졌다!

빛에 휩싸인 아키라의 모습이 원래대로 돌아왔다.

그러나, 장비 변경이 늦지 않아서 교복 차림이었다.

후우! 위험하다 위험해!

"렌, 고마워!"

"그래!"

그러나, 우리가 공격하던 개체 양옆에 있는 녀석이 안티 매직 라이트를 발동하다니.

하나의 회복에 맞춰서 양옆이 안티 매직 라이트를 쏘는 구조인가?

그러나— 이번에는 그 옆에 있는 개체의 눈이 빛났다!

우와, 연속해서 전원이 안티 매직 라이트를 쏠 셈인가?!

이래서는 아키라가 또 한 번 변신해도 바로 풀릴 텐데—!

프로이의 코키토스 폴의 발동까지 30초!

앗~~~! 큰일이다!

그러나 공격력 강화도 사라진 지금, 더더욱 이 녀석의 체력을 깎기 힘들어졌다!

가드만 하고 있으면, 내 오의조차도 이 녀석의 체력을 다 깎을 수 없다.

어쩌지—?! 어쩌지—?!

아아아아아! 생각하면 생각할수록 해답이 하나밖에 없는데요?!

"렌! 아키라! 지금이니까 말해둔다 꼬꼬~~! 두 사람이 선택해줘서 다행이었다 꼬꼬~~! 고마워, 바이바이다 꼬꼬~~!"

마법진에 사로잡혀서 움직이지 못하는 코코루가 목소리를 높였다.

"코코루……!"

"코코루—!"

"유키노~~~~~! 나, 즐거웠어! 고마워~~~!"

"미코토! 아직 포기하지 마라!"

"아, 아이코 씨! 저도……! 이런저런 이상한 일을 하긴 했지만, 신세 많이 졌습니다—! 고마웠어요!"

"알프레드— 아, 악역에게 감사할 필요는 없거든!"

틀렸어. 이래서는 이별 장면이잖아! 그렇게 둘 수는 없다고!

우울한 전개는 싫어하니까. 우울 플래그는 전력으로 꺾어야 한다!

그렇다면— 여기서는 그것밖에는—!

"아키라! 위험하다는 건 알고 있지만, 이렇게 되면—."

"응, 알고 있어. 렌! 이대로 가만히 있을 수는 없는걸!"

안티 매직 라이트가 쏟아지는 가운데, 아키라가 크게 외쳤다.

"장비 변경, 세트 B!"

그리고 나타난 것은—『엔젤 참』을 장비한 아키라다.

언제나 그렇듯이 좋긴 하지만—.

아키라네 가문 사람이 보고 있는 가운데 드러내는 건 위험하다고 했었다.

그러나, 지금은 이제 이걸 사용할 수밖에 없다!

솔직히 방어구로서의 방어력도 레벨이 올라간 지금에 와서는 미덥지 못하지만, 『엔젤 참』에는 그걸 뒤집을 만한 성능이 있다.

그렇다, 가드 무효다! 녀석의 철벽 가드도 『엔젤 참』을 장비한 아키라에게는 무력!

"가자, 렌! 뒤따라와! 유키노 선배! 히지리사와 선배도!"

아키라가 조금 전의 코키토스 트렌트에게 육박했다!

아키라의 공격. 코키토스 트렌드에게 140의 대미지.

아키라의 공격. 코키토스 트렌트에게 152의 대미지.

아키라의 공격. 코키토스 트렌트에게 144의 대미지.

그렇지, 연속 공격이 그대로 통한다!

그리고―.

"간다! 오의『에어리얼 크레센트』!"

초승달 이펙트의 퍼 올리는 일격이 코키토스 트렌트를 돔 천장 부근까지 쳐올렸다.

그리고 두 번째 초승달 모양 검격이 꽂혔다!

거기에 이도류 효과로 또다시 일격 추가.

초승달 이펙트로 숨겨져 있지만, 스카이 폴의 충격파도 맞았을 거다.

큰 대미지를 입었을 터, 그리고 무엇보다―.

"지금이야! 빠져나가!"

그렇다. 적을 띄워줘서 벽에 구멍이 뚫렸다!

나이스, 아키라! 이걸로 전황은 극적으로 바뀔 거야!

나와 유키노 선배와 히지리사와 선배는 적의 방벽을 돌파했다.

"그케케케케케엣~!"

포위망 속으로 침입을 허락하자, 코키토스 트렌트들은 지금까지의 움직이지 않는 가드 일변도 동작을 멈추고 우리를 배제하고자 공격에 나섰다.

"비켜! 사이클론 사~~~~이즈!"

히지리사와 선배의 아츠가 발동!

휘몰아치는 사이클론이 코키토스 트렌트들을 날려버렸다!

가드에 전념하지 않으면 넉백도 통하는구나!

"오의 『인피니티 리버스』!"

유키노 선배가 『인피니티 리버스』를 프로이에게 날렸다!

"치이이이이이잇!"

프로이는 가드해서 『인피니티 리버스』를 막아냈다.

가드 대미지는 발생했지만, 역시 가드하면 그렇게까지 큰 대미지는 나오지 않는다.

한 발당 50 정도의 가드 대미지인가. 역시 프로이는 코키토스 트렌트보다 단단하다!

"등이 텅 비었잖아~♪ 싹둑 베어버릴 테니까! 오의 『더블 크로스 리퍼』!"

X를 두 개 겹친 궤도를 그리는 4단 공격 오의!

그것이 히지리사와 선배의 목소리와 함께 프로이의 등 쪽에서 작렬했다!

아이코의 더블 크로스 리퍼가 발동. 프로이 야신에게 1640의 대미지!

"끄으으으으으으으윽! 이 자시이이이익! 뒤에서 베다니 비겁하게!"

"훗— 우리에게 비겁하다는 건 칭찬! 칭찬해줘서 고마워~!"

그걸 보면서 나도 스킬을 발동했다.

"『파이널 스트라이크』! 에서 오의―!"

뽑아낸 지팡이칼을 위로 던졌다! 그리고 점프!

아래쪽에서는 뒤에서 공격을 맞은 프로이가 허리를 젖히자, 가드 중이었던 『인피니티 리버스』도 직격하기 시작했다.

유키노의 인피니티 리버스가 발동. 프로이 야신에게 187의 대미지.

유키노의 인피니티 리버스가 발동. 프로이 야신에게 187의 대미지.

유키노의 인피니티 리버스가 발동. 프로이 야신에게 187의 대미지.

유키노의 인피니티 리버스가 발동. 프로이 야신에게 187의 대미지.

유키노의 인피니티 리버스가 발동. 프로이 야신에게 187의 대미지.

유키노의 인피니티 리버스가 발동. 프로이 야신에게 187의 대미지.

계속 이어진다―!

"먹어라아아아아아아! 『청룡낙하』!"

렌의 청룡낙하가 발동! 프로이 야신에게 5735의 대미지!

"끄아아아아아아아아악?! 이노오오오오옴!"
단숨에 HP 바가 절반 이하까지 줄었다!

프로이의 코키토스 폴의 발동까지 15초!

아직이다! 시간도 없어! 이대로 단숨에 간다!
나는 최속으로 지팡이칼을 재합성해서 장비하는 움직임에 들어갔다.
그 사이에도 유키노 선배가 계속 공격을 퍼부었다.
"하아아아앗! 오의『슈팅 스타 러시』!"
『인피니티 리버스』가 발동 중인 상황에서 빛나는 연속 발차기가 합쳐서 들어갔다!
대미지 로그가 홍수처럼 윈도우를 흘렸다!
나는 일격 폭딜만을 파고든 로망포지만, 유키노 선배는 연타 몰아치기로 공격하는 스타일이니 말이지! 공격 횟수가 터무니없다!
물론 종합적인 딜링 능력도 무시무시하다.

프로이의 코키토스 폴의 발동까지 5초!

하지만 아직, 프로이의 체력을 다 깎지 못했다!

히지리사와 선배도 공격에 가세했지만, 한 수는 더 필요하다!

나는 장비를 갖추고, 프로이에게 돌진했다.

이제 반드시 아키라가— 아키라라면—.

"렌! 『검의 춤』!"

아키라의 검의 춤이 발동. 렌의 모든 스킬이 재사용 가능해졌다!

그래, 올 줄 알았어! 역시 마이 베스트 프렌드!

『엔젤 참』으로 춤추는 모습도 바라보고 싶었지만, 지금은 볼 여유조차 아깝다. 완전히 노 룩 연계였다.

자, 마지막 한 방은, 내가 받아간다!

나는 허리를 낮추고 자세를 잡아서, 『지팡이칼』의 끝을 비틀어 도신을 뽑아냈다.

"마지막이다! 오의 『데드 엔드』~~~!"

서거어어어어어어어어억!

보라색 빛이 빛나며 프로이의 몸을 갈랐다.

렌의 데드 엔드가 발동. 프로이 야신에게 4279의 대미지!
렌은 프로이 야신을 쓰러뜨렸다.

"끄으으으으으으으윽……! 네, 네놈—! 제법이잖냐, 칭찬해주마……!"

프로이는 그렇게 말하며 쓰러졌고, 몸이 깜빡이면서 그대로 사라졌다.

동시에 코키토스 폴 마법진도 사라졌다.

"꼬, 꼬꼬~? 이, 이제 움직인다 꼬꼬~! 살았다 꼬꼬~~! 다들 고맙다 꼬꼬~~~!"

다행이다 다행이야. 늦지 않은 것 같다.

"후우…… 어떻게든 아슬아슬하게 늦지 않았네."

한숨을 내쉰 나에게 아키라가 달려왔다.

"해냈네, 렌! 코코루와 다른 영웅 후보들도 무사해!"

"그래! 해냈어!"

하이파이브!

"음, 그래도 뭐랄까…… 결국 숨길 수 없었네……."

나는 엔젤 참 모습을 좋아하긴 하지만.

아키라네 가문에서는 이게 문제가 된단 말이지.

"뭐, 어쩔 수 없어. 아까는 이 방법밖에 없었잖아. 후회는 안 해!"

아키라는 웃으며 말했다.

으~음. 역시 마이 베스트 프렌드는 착한 소녀라니까.

나는 절실히 그렇게 생각했다.

◆◇◆

싸움이 끝난 뒤, 관객석에서—.

"죄송합니다!"

아키라는 아리마 씨에게 고개를 팍 숙였다.

아리마 씨는 후우, 하고 한숨을 내쉬고는 씁쓸한 표정을 지었다.

"아가씨. 아오야기 가의 여식인 분께서 남들 앞에서 그런 차림을 보이시다니—. 게임이라고는 해도 간과할 수는 없습니다. 이 일은 주인님과 큰주인님께 보고하도록 하지요. 괜찮으시겠죠?"

"…………."

아키라는 묵묵히 고개를 숙였다.

"잠깐 기다려요! 아키라는 사람을 돕기 위해 그런 거라고요! 그걸 꾸짖는 건 이상하지 않나요?!"

"그걸 문제시하는 게 아닙니다. 아오야기 가의 여식으로서 어울리는 복장이 있다는 이야기죠. 아오야기 가는 그쪽과 달리 정숙함과 조신함을 중시하니까요."

아리마 씨는 표정도 바꾸지 않고 아카바네에게 답했다.

말투도 딱딱하다.

아카바네는 소드 댄서 장비니까.

아오야기 가에서 그건 NG라는 뜻이다.

"어머! 그럼 우리 가문은 수치도 모르고 관심 끌기나 좋아한다고 말하려는 건가요?! 고작 게임 속에서의 일이잖아요?!"

아니 뭐, 댁의 오라버니는 게임 속이라고 너무 제멋대로 구는 것 같기는 하지만!

"게임 속 아이템이라고 한다면야 그뿐이겠지만, 그런 걸 버리지 않고 소지하는 것 자체가 자각이 부족하다고 볼 수밖에 없습니다. 의식의 문제는, 게임 속이든 현실이든 변함이 없을 텐데요?"

"—머리가 딱딱하네요. 돌머리에요!"

아카바네는 흥, 하고 고개를 돌렸다.

"주인님이나 큰주인님의 대리로 온 이상, 그게 맞는 견해를 보여야 하니까요."

즉, 아리마 씨는 아키라네 가문 사람이 이걸 보면 화를 내리라 생각한다는 건가.

곤란한데……. 아키라는 자칫하면 학교를 그만두게 될지도 모른다고 했으니까.

코코루와 다른 영웅 후보들을 위해서 그걸 무릅쓰고 해줬는데, 내버려 둘 수는 없지!

나는 아카바네를 대신해서 앞으로 나왔다.

"저기…… 실례지만, 괜찮을까요?"

"너는— 확실히 타카시로였던가."

"아, 네. 그리고, 저기— 장비 말인데요. 그걸 써달라고 한건 저거든요. 쓸 수 있는 직업이 되어달라고 부탁한 것도 저고— 그러니까 기본적으로는 전부 저 때문인 거죠! 죄송합니다! 화내지 말아 주세요!"

"네가—?!"

"네. 처음에는 싫어했지만, 제가 부탁해서—."

"……그렇다면, 앞으로 네가 아가씨 옆에 있지 않으면 문제없다?"

"앗! 그런 건 안 돼! 소드 댄서가 되겠다고 결정한 건 나니까!"

아키라는 아미라 씨에게 단호한 눈동자로 말했다.

"아리마 씨, 부탁할게요! 오늘 일은 아버지 쪽에는 말하지 말아줘요! 렌에게는 잘못이 없으니까, 이상한 일은 하지 말아 주세요!"

"아가씨. 하지만—."

"부탁할게요! 이번뿐이니까—! 만약 들어주지 않으면……."

"응? 아가씨?"

"마, 만약 들어주지 않으면— 저, 어떤 수를 써서든 당신을 해고해버릴 테니까요!"

설마 하던 권력 발동 예고였다!

윤리적으로 어떤가 싶기는 하지만, 아키라는 무척 진지했다.

아리마 씨를 똑바로 응시하는 중이다.

"아가씨— 후후후후…… 하하하하하—."

아리마 씨가 재미있다는 듯이 웃기 시작했다.

"뭐, 뭐가 웃긴 거죠! 저는 진심이에요!"

"아, 아뇨—. 죄송합니다. 아가씨는 아오야기 가의 집안일에는 소극적이셔서 가급적 얽히지 않으려 하시는 줄 알았는데……. 그런 말씀까지 해가면서 가문의 힘을 써서 제 입을 막으려 하시다니, 지금의 환경이 무척이나 마음에 드신 것 같군요."

아리마 씨는 다정한 눈으로 아키라를 바라봤다.

이 사람도 나름대로 아키라를 걱정하고 있었구나.

"네! 저, 지금이 제일 즐거워요! 그러니까 이대로—!"

"제가 봐온 아가씨는 언제나 울적해 보이는, 새장 속의 새 같았습니다. 하지만 여기 계신 아가씨는 무척 활기가 넘치시는군요—. 그건 기쁜 일이겠죠……."

그는 후우, 하고 한숨을 내쉬었다.

"알겠습니다. 이 일은 제 가슴속에만 담아두도록 하죠. 하지만, 이건 저만의 독단입니다. 다른 분들까지 같으리라고는 할 수 없으니, 조심하도록 하세요."

"가, 감사합니다! 아리마 씨!"

그때, 아리마 씨가 나를 바라봤다.

"아가씨의 활기가 넘치는 건 네 덕분이겠지. 보고 있으면 알겠어. 고맙다는 말을 하고 싶구나. 하지만 너무 부끄러운 모습은 보이지 않게 해줘."

"네…… 아, 알겠습니다."

이렇게, 아키라의 친가 문제도 아무 일 없이 지나갈 것 같다!

잘됐군, 잘됐어!

이윽고 대회 표창식 같은 것들을 마치자, 길드 대항 미션 최종 배틀 겸 보호자 참관은 종료되었다!

그나저나 꽤 농도가 진한 하루였네…….

이렇게 하루의 마지막, 강제 로그아웃이 되는 현실 오후 열 시 직전—

나는 길드 하우스 발코니에서 느긋하게 하늘을 바라보고 있었다.

"아~ 오늘은 여러 일이 있어서 피곤하네~."

"수고했어, 렌♪"

뒤에서 목소리. 돌아보자, 싱글벙글 웃고 있는 아키라가 서 있었다.

"오~ 아키라. 먼저 로그아웃한 거 아니었어?"

"응. 아직 있을 것 같아서 돌아온 거야."

아키라가 내 옆에 스윽 섰다.

"오늘은 고마워. 감싸줘서 기뻤어."

"아니아니, 결국 아키라의 설득이 성과를 거둔 거지."

"억지를 부리기는 했지만…… 아리마 씨는 그나마 말이 통하거든. 아버지나 할아버지였으면 이렇게는 안 됐을걸. 게다가, 아리마 씨가 내 어리광을 들어준 건 렌 덕분일 거야. 분명."

"응? 그런가?"

"응응! 분명 내가 무척 즐거워하고 있으니까, 그만두게 하는 건 딱하다고 생각해준 걸지도? 여기가 즐거운 건 주로 렌 덕분이니까~. 그러니까 렌 덕분이야. 고마워."

"천만의 말씀! 그것도 피차일반이지. 내가 즐거운 것도 아키라 덕분이니까."

"그럼 앞으로도 잘 부탁해! 라는 의미로!"

"그래!"

우리는 짝! 하고 하이파이브를 나눴다.

"그나저나, 소드 댄서 장비는 뭔가 고민해 봐야겠네ㅡ. 그렇게 큰일이 벌어질 줄이야ㅡ."

"그러게. 뭐, 어떻게든 되겠지."

아키라는 하이파이브를 한 손을 떼지 않고, 그대로 꽉 붙잡았다.

그 행동에, 나는 조금 두근거렸다.

"저기ㅡ 왜 그래……?"

"응? 뭐, 상관없잖아♪ 이제 곧 로그아웃이니까, 그때까지는 이대로 있자~."

우리는 손을 잡은 채 강제 로그아웃 시간을 맞이했다.

■작가 후기

먼저 본서를 손에 들어주셔서 진심으로 감사합니다.

VRMMO 학원에서 즐거운 마개조 가이드 4권입니다.

갑작스럽지만, 사과를 드려야 할 일이 한 가지 있는데요―.

이번 권도 번외편을 쓰고 싶었습니다만, 본편 분량이 너무 많아서 넣을 수 없었습니다…….

죄송합니다. 다음 권에는 넣을 수 있도록 제대로 조정하겠습니다.

말이야 이렇지만, 다음 권에서 뭘 쓸지는 딱히 정해지지 않은지라 좀 그렇습니다만…….

아무튼 즐겁게 게임을 하는 모습을 쓴다는 것 말고는 즉흥적으로 진행하는 본작인지라, 그것만 준수한다면 뭘 써도 상관없기에 반대로 곤란하기도…….

확실하게 목표를 정해둔 이야기라면, 마지막부터 역산해서 다음에는 이렇게 되리라고 계산할 수 있습니다만, 본작에서는 그런 게 전혀 없거든요.

이 4권에 이를 때까지 읽어주신 분들은 『하지만 그게 좋다』파인 분들이라고 생각하므로, 앞으로도 본작이 이어지는 한 이런 분위기로 진행하고자 합니다.

마지막만큼은 개인적으로 어떻게 할지 정해놨습니다만, 어떻게 거기에 도달하게 될지는 전혀 모릅니다!

『소설가가 되자』에서는 본작을 시작으로 그밖에도 이것저것 쓰고 있습니다만, 최근에는 전부 다 분위기에 맡기고 있는 느낌이 들어서 무섭긴 하네요……!

제대로 설계해둔 전쟁물 같은 것도 또 쓰고 싶긴 하지만, 수요가 있을까요……?!

그나저나, 조금 전에도 말씀드렸듯이 본 시리즈는 4권째를 맞이했습니다.

개인적으로는 최장 기록이므로, 그게 꽤 기쁘네요.

스포츠로 따지면 자기 베스트 기록일까요.

자기 베스트 기록을 더욱 갱신할 수 있도록 노력하고 싶습니다!

마지막으로 담당 편집자 N님, 일러스트를 담당해 주시는 아키타 히카 님 및 관계 각처 여러분, 다대한 조력 감사드립니다.

이번에도 일러스트는 완성도가 높네요!

매번 기대하고 있으니, 가능하다면 더욱 많이 보고 싶습니다.

그럼, 또 뵙겠습니다.

안녕하세요. 불초 역자입니다.

이번 VRMMO 4권은 영웅 육성 퀘스트 이야기의 후편이었습니다. 저번 권에서는 그저 최약체 캐릭터였던 코코루가 이번 권에서는 눈에 띄게 성장하는 모습이 보여서 좋았네요. 렌의 육성 방침은 어처구니없기는 하지만 분명 옳은 방향이었던 것 같습니다. 저도 렌처럼 자이언트 킬링을 좋아하는지라 즐겁게 볼 수 있었네요. 역시 약체의 반란이라는 건 가슴 뛰는 이야기란 말이죠.

그나저나 또 하나의 핵심인 렌과 아키라의 관계는 여전히 찔끔찔끔 나아가고 있는데, 슬슬 대전환이 필요하지 않나 싶기도 하네요. 주변에서는 낌새 눈치채고 은근히 밀어주고 있는 것 같은데 정작 두 사람의 관계 진전은 영 굼뜨단 말이죠. 한번 진도를 팍 빼서 알콩달콩한 모습 보여줬으면 좋겠습니다. 물론 지금의 캐미는 유지하면서요.

그럼 후기는 이쯤하고, 다음 권에서 뵙겠습니다.

VRMMO 학원에서 즐거운 마개조 가이드 4

초판 1쇄 발행 2019년 12월 10일

지은이_ Hayaken
일러스트_ Hika Akita
옮긴이_ 이경인

발행인_ 신현호
편집국장_ 김은주
편집진행_ 최은진 · 김기준 · 김승신 · 원현선 · 권세라
편집디자인_ 양우연
국제업무_ 정아라 · 전은지
관리 · 영업_ 김민원 · 조은걸 · 조인희

펴낸곳_ (주)디앤씨미디어
등록_ 2002년 4월 25일 제20-260호
주소_ 서울시 구로구 디지털로 26길 111 JnK디지털타워 503호
전화_ 02-333-2513(대표)
팩시밀리_ 02-333-2514
이메일_ lnovelpiya@naver.com
L노벨 공식 카페_ http://cafe.naver.com/lnovel11

VRMMO GAKUEN DE TANOSHII MAKAIZOU NO SUSUME 4
~ SAIJYAKU JOB DE SAIKYOU DAMAGE DASHITE MITA ~
© Hayaken
Originally published in Japan in 2018 by HOBBY JAPAN Co., Ltd.

ISBN 979-11-278-5360-0 04830
ISBN 979-11-278-4561-2 (세트)

값 7,200원

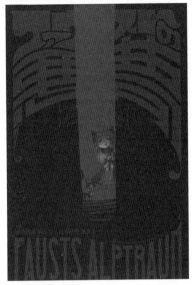

파우스트의 악몽

LabORat Studio 원작·일러스트 │ 쿠로카와 미노루·타카사키 토오루 지음 │ 정금택 옮김

고양이와 악마에 이끌려,
소녀는 출구를 찾을 수 없는 꿈속을 헤맨다…….
"만약 당신이, 이 시간과 이 순간이
영원히 멈추기를 바란다면,
그 순간 당신의 패배로 끝나게 됩니다."
저의 정체를 물어보셨나요?
저는 모든 것을 부정하는 정령……
흔히 말하는 악마라는 존재랍니다.

**대인기 프리 호러 게임
대망의 소설화!**

데이트 어 라이브 1~20권, 앙코르 1~9권, 머테리얼

타치바나 코우시 지음 | 츠나코 일러스트 | 이승원 옮김

4월 10일. 새 학기 첫 등교일.
이츠카 시도는 평소와 다름없는 일상을 보내고 있었다.
갑작스러운 충격파로 파괴된 마을 한가운데에서 소녀와 만나기 전까지는―

세계를 부수는 재앙, 정령을 막을 방법은 단 두 가지.
섬멸, 혹은 대화

정령과 만나게 된 시도는,
세계의 멸망을 막기 위해 데이트로 정령을 꼬셔야하는 운명에 처하게 되는데!?

세계의 멸망을 막기 위한 데이트가 시작된다―!!

ANIPLUS TV 애니메이션 방영 화제작!!

이 멋진 세계에 축복을! 1~16권

아카츠키 나츠메 지음 | 미시마 쿠로네 일러스트 | 이승원 옮김

게임을 사랑하는 은둔형 외톨이 소년, 사토 카즈마의 인생은
너무하도 허무하게 그 막을 내린…… 줄 알았는데,
정신을 차려보니 눈앞에 여신을 자처하는 미소녀가 있었다.
"이세계에 가지 않을래? 원하는 걸 딱 하나만 가지고 가게 해줄게.",
"그럼 널 가지고 가겠어."
이리하여, 이세계로 넘어간 카즈마의 대모험이 시작……되나 싶었는데,
결국 시작된 것은 의식주 확보를 위한 노동이었다!
카즈마는 그저 평온하게 살고 싶지만,
문제를 연달아 일으키는 여신 때문에 결국 마왕군에게 찍히고 마는데?!

애니메이션 방영 화제작!!

돈은 패자를 돌고 도는 것 1~2권

쿠조 나기 지음 | Mika Pikazo 일러스트 | 김성래 옮김

금액에 따라 초상 현상마저도 사들일 수 있는 악마의 돈 《마석 통화》.
그 쟁탈전, 『거래』에 여념이 없는 고등학생인 우시나이 하이토는
"마스터가 정말 원한다면 야한 행위도 받아들이겠어요……."
전리품으로 손에 넣은 『자산』 소녀, 멜리아의 소유자가 된다.
금전 지상주의 하이토는 자신에게 허물없이 구는 멜리아를 매각하려고 들거나
목숨을 건 『거래』에 이용하는 등 무도한 대우로 일관했다만…….
멜리아가 지니고 있는 비밀이 폭로되어 세계의 표적이 됐을 때
"사들이겠어. 영원토록, 감히 멜리아를 빼앗으려고 들지 못할 공포를."
패배를 숙명으로 짊어져야 했던 소년이 선택한 것은 세계의 적이 되는 길이었다.

제30회 판타지아 대상 〈대상〉 수상의 새로운 왕도 머니 배틀!

©Udon Kamono/OVERLAP
Illustration Hitomi Shizuki

꽝 스킬 [지도화]를 손에 넣은 소년은
최강 파티와 함께 던전에 도전한다 1권

카모노 우동 지음 | 시즈키 히토미 일러스트 | 이경인 옮김

15세 노트가 『증여 의식』에서 받은 스킬은 [지도화].
레어도는 높지만 다른 스킬보다 쓸모가 없는, 이른바 꽝 스킬이었다.
소꿉친구에게 버림받고 실의의 바닥에 빠진 노트는
모험가 생활로 번 돈을 술에 쏟아붓는 나날을 보내지만—
그런 나날은 느닷없이 끝을 고했다.
"우리는 그 스킬을 가진 너를 필요로 하고 있어."
최강 파티 『어라이버즈』에 소속된 진의 권유를 받게 된 노트.
그의 운명은 크게 변하기 시작한다—
이번에야말로 노력을 포기하지 않고, 발버둥 치겠다는 결의와 함께.

최강 파티에 들어간 소년이
이윽고 최강에 도달하는 판타지 성장담, 개막!

라이트노벨의 새로운 빛! L노벨의 신간은 매월 10일에 발매됩니다. http://cafe.naver.com/lnovel11

©Ryo Shirakome/OVERLAP
Illustration Takaya-ki

흔해빠진 직업으로 세계최강 1~10권

시라코메 료 지음 | 타카야Ki 일러스트 | 김장준 옮김

『왕따』를 당하던 나구모 하지메는 같은 반 아이들과 함께 이세계로 소환된다.
차례차례 사기적인 전투 능력을 발현하는 반 아이들과는 달리
연성사라는 평범한 능력을 손에 넣은 하지메.
이세계에서도 최약인 그는 어떤 반 아이의 악의 탓에
미궁의 나락으로 떨어지고 마는데—?!
탈출 방법을 찾을 수 없는 절망의 늪에서
연성사로 최강에 이르는 길을 발견한 하지메는
흡혈귀 유에와 운명적인 만남을 이루고—.
"내가 유에를, 유에가 나를 지킨다. 그럼 최강이야. 전부 쓰러뜨리고 세계를 뛰어넘자."

**나락으로 떨어진 소년과 가장 깊은 곳에 잠들었던 흡혈귀가 펼치는
『최강』 이세계 판타지 개막!**

라이트노벨의 새로운 빛! L노벨의 신간은 매월 10일에 발매됩니다. http://cafe.naver.com/lnovel11